уложите рядом ба...
вбитых сливой, как ...
сладких. Поверьте, это пре...

Со взбитыми сливками рекомендую еще одно блюдо —
любой зеленый салат, превес...
немного красной икры
и взбитые сливки. Можно
вместо икры взять маслин
и заправить всё это сливками. А можно, как в случае
с сладким, положив сливки
горкой, обдели... Какой из
всего этого можно сделать
вывод? Иной раз самые
неожиданные сочетания
оказываются наиболее прекрасными. Не бойтесь экспери-
ментов, они зачастую себя
оправдывают. Ведь взбитые
сливки и сметана, которая мало...

Екатерина ВИЛЬМОНТ

Дети галактики

или

ЧЕПУХА НА ПОСТНОМ МАСЛЕ

ВЗГЛЯД И НЕЧТО С ГАСТРОНОМИЧЕСКИМ УКЛОНОМ

ИЗДАТЕЛЬСТВО
Астрель
МОСКВА
2006

УДК 821.161.1
ББК 84 (2Рос = Рус)6
В46

Фотоматериалы из сериала «Я тебя люблю» для художественного оформления предоставлены ЗАО «Кинокомпания «ДомФильм»

Оформление *Селиванова Е. Д.*
Дизайн обложки *Ферез А. В.*
Компьютерня верстка и дизайн макета *Ю. А. Хаджи*

Издательство благодарит автора за фотографии из семейного архива, а также за личную коллекцию фигурок, любезно предоставленные для оформления книги

В книге использованы фотоматериалы
Виталия Белоусова, Дмитрия Ухова, Александра Колпакова, Софьи Райхман

Подписано в печать с готовых диапозитивов заказчика 08.08.2006 г.
Формат 70х90/16. Бумага офсетная. Печать офсетная.
Усл. печ. л. 15,8. Тираж 20 000 экз. Заказ 2213.

Общероссийский классификатор продукции
ОК-005-93, ТОМ 2; 953000 — книги, брошюры
Санитарно-эпидемиологическое заключение
№ 77.99.02.953.Д.003857.05.06 от 05.05.06г.

Вильмонт, Е. Н.

В 46   Дети галактики или Чепуха на постном масле. Взгляд и нечто с гастрономическим уклоном / Екатерина Вильмонт. — М.: АСТ: Астрель, 2006. — 216 с.

УДК 821.161.1
ББК 84 (2Рос = Рус)6

ISBN 5-17-040363-1 (ООО «Издательство АСТ»)
ISBN 5-271-15393-0 (ООО «Издательство Астрель»)

Это книга ни на что не претендует. Она, безусловно, лишь отчасти кулинарная, хотя в ней множество рецептов, но они никак не систематизированы и не объединены ничем, кроме моей жизни и моих личных пристрастий. И мемуарами это тоже не назовешь, ибо все в ней слишком легковесно и субъективно. Так что же это? Пожалуй, наиболее точное определение данного жанра — взгляд и нечто с гастрономическим уклоном. Надеюсь, скучно вам не будет.

ISBN 985-13-8588-3 (ООО «Харвест»)

Ответственный редактор *И. Н. Архарова*
Художественные редакторы *Адаскина О. Н., Сынкова И. А.*
Технический редактор *И. С. Круглова*
Корректор *И. Н. Мокина*

ООО «Издательство АСТ»
170002, Россия, г. Тверь, пр-т Чайковского, 27/32

ООО «Издательство Астрель»
129085, Москва, пр-д Ольминского, д.3а

www.ast.ru; e-mail: astrub@aha.ru

Издано при участии ООО «Харвест». ЛИ № 02330/0056935 от 30.04.2004.
Республика Беларусь, 220013, Минск, ул. Кульман, д. 1, корп. 3, эт. 4, к. 42.
e-mail редакции: harvest2004@mail.ru

Отпечатано с готовых диапозитивов на ИП «Принтхаус». Заказ 350.
ЛП № 02330/0131535 от 30.04.2004.
Республика Беларусь, 220600, Минск, ул. Красная, 23, офис 3.

Открытое акционерное общество
«Полиграфкомбинат имени Я. Коласа».
Республика Беларусь, 220600, Минск, ул. Красная, 23.

Содержание

Мы — дети галактики! Это вдалбливалось нам в течение долгих лет. И если принять сие определение за аксиому, то многое становится понятным. Это ведь так удобно! Что нужно детям галактики, субстанции весьма расплывчатой? Все человеческое им не просто ненужно, а прямо-таки чуждо! Ну зачем, скажите на милость, дочерям галактики нужны, к примеру, нормальные лифчики или красная рыба? Перетопчутся, не люди же. А сыновьям за каким чертом нужна собственная машина? Ни на фиг, на ней же в галактику не поедешь! Как-то в 60-е годы я прочла в газете, что вопрос о производстве все тех же пресловутых лифчиков взял на контроль сам председатель Совета Министров Косыгин. Ни больше, ни меньше. Надо отдать должное Алексею Николаевичу, этот больной вопрос все-таки с грехом пополам решили, но зато сколько было подобных нерешенных вопросов, и если никто кроме премьер-министра не мог с этим справиться, то...

Короче говоря, нас объявили детьми галактики, но мы были скорее детьми дефицита, поистине космического. Но я все же решила назвать эту кулинарно-мемуарную книгу «Дети галактики».

Вероятно, многие люди, постоянно орущие о высокой духовности, меня осудят, но и Бог с ними. Ведь у этих людей, как правило, очень туго с чувством юмора. И нам с ними не по дороге, правда?

Начнем, пожалуй!

«**Начнем, пожалуй!**». Не случайно я начала эту книгу фразой из оперы. «Евгений Онегин», сцена дуэли. Дело в том, что бабушка, мамина мать, вместо сказок рассказывала мне сюжеты опер, поскольку дед мой был оперным певцом. У меня и сейчас есть его фотографии в роли Германа из «Пиковой дамы». Эдакий красавец в пудреном парике.

Отец вместо сказок читал мне Гоголя. «Вечера на хуторе близ Диканьки». Зато мама рассказывала сказки, правда, собственного сочинения. Бесконечную историю двух детей, Лизы и Вовы. Из этих сказок помню только, что там был какой-то пруд, где плавали «утята, утята, утята». Фраза про утят произносилась особенным голосом и сопровождалась щекоткой и моими восторженными визгами. Когда же я подросла и несколько лет болела, мама рассказывала мне сказку про меня взрослую и ничего более интересного придумать было нельзя. Ах, какие захватывающие приключения, какие

Мой дед был оперным певцом, а мне, увы, медведь на ухо наступил...

потрясающие романы у меня там были... Мама частенько говорила, что если бы не советская власть, она стала бы прекрасной бульварной писательницей. Однако все это лишняя болтовня. И надо поскорее объяснить читателям, почему я вдруг взялась за этот странный жанр.

Недавно за границей я встретила одного старого знакомого, с которым не виделась лет двадцать. Мы сидели, болтали обо всем на свете и вдруг он спросил с некоторой даже тоской:

— Катька, а ты еще печешь те крохотные пирожки? А вареники с вишнями делаешь? А рыбу под бешамелью?

— Нет, — сказала я, — давным-давно не делаю.

— Но почему?

— Некогда, я теперь книги пишу. Правда, в них иногда делюсь рецептами с читателями.

— Ну и дура! — воскликнул он в сердцах.

— Почему? — удивилась я.

— Зачем рассыпать рецепты по разным книгам? Лучше собери их в одну. Вспомни, что готовила, когда, при каких обстоятельствах. У тебя должно получиться занятно.

Тогда я только посмеялась над этой идеей.

Однако через несколько месяцев один молодой кинорежиссер, с которым мы подружились во время тщетных попыток написать вместе сценарий сериала, после обеда у меня посоветовал мне выпустить книгу «Рецепты от Вильмонт». «А почему бы и нет?» — подумалось мне. Сперва я решила, что буду давать рецепты и к ним маленькие рассказики о случаях, связанных с этими блюдами. А потом мне показалось, что куда ин-

— Катька, а ты еще печешь те крохотные пирожки? А вареники с вишнями делаешь? А рыбу под бешамелью?

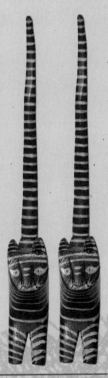

тереснее, для меня, во всяком случае, проследить, как менялись кулинарные привычки и пристрастия с ходом нашей достаточно причудливой истории, не претендуя на абсолютную точность, руководствуясь лишь собственными воспоминаниями, ну и воспоминаниями моих друзей-ровесников. Память у меня вроде бы неплохая, поесть в доме моих родителей любили, да и я считаю хорошую вкусную еду одной из радостей жизни.

Предавшись воспоминаниями такого рода, я подумала, что не стану ограничивать себя только кулинарией, вспомню людей, бывавших в нашем доме, друзей, соседей, а также смешные истории. Словом, никаких жанровых ограничений, и посему я выбрала подзаголовок, навеянный Козьмой Прутковым: «Взгляд и нечто с гастрономическим уклоном».

Детские радости

Я родилась в семье литераторов. Мой отец Николай Николаевич Вильям-Вильмонт был крупнейшим советским германистом, писателем и переводчиком. Имена Гёте, Шиллера, Лессинга, Томаса Манна я слышала с пеленок. Мама, Наталия Ман, известная переводчица в основном классической немецкой литературы, переводила и с французского («Лекарь поневоле» Мольера) и с английского (Джек Лондон, Арчибальд Кронин, Сомерсет Моэм). Кстати, с «Лекарем поневоле» связана одна забавная литературная шутка. Мама знала три европейских языка, хотя никогда с французского не переводила. А друг семьи, несравненный Николай Михайлович Любимов, переведший «Дон Кихота», «Гаргантюа и Пантагрюэль», «Декамерон» и многое столь же фундаментальное, никогда не переводил с немецкого. И вот эти корифеи советского перевода решили малость схулиганить. Николай Михайлович, под редакцией которого выходил однотомник Мольера, дал маме перевести «Лекаря», а папа, выпускавший в то же

Мамина мама.

время Собрание сочинений Шиллера, дал Любимову перевести «Коварство и любовь». Николай Михайлович приходил в нашу комнату в огромной коммуналке и они с мамой правили друг друга. Иногда ругались, так как оба были людьми весьма темпераментными, но их неизменно примиряли мамины котлеты, которые Любимов обожал. «Тата, ваши котлеты лучшие в мире!».

Я этих котлет тогда в рот не брала и попробовала их лишь лет в восемнадцать, когда помогала маме готовить. Процесс показался мне вполне аппетитным, и я решилась попробовать. Это было прекрасно! Воспользуюсь случаем и приведу здесь рецепт, вполне мною усвоенный.

Берем нежирную говядину, белый хлеб, лук, соль и черный перец. Собственно, все вполне обычно. Но... Ни в коем случае не класть яйцо. Лук пропустить через мясорубку. Обязательно добавить в фарш немного воды, можно той, в которой вымачивали хлеб. Хлеба не должно быть много. И в каждую котлету непременно запендюрьте кусочек сливочного масла или кусочек льда! И, разумеется, обваляйте их в сухарях. Котлеты у вас будут пышные, сочные, пальчики оближете, гарантирую! И не бойтесь, они не развалятся.

Николай Михайлович Любимов, помимо всех своих литературных талантов был человеком весьма остроумным. Чего стоили его дарственные надписи на книгах! Когда после многолетних запретов вышел в свет блистательный Рабле, «Гаргантюа и Пантагрюэль», он написал на подаренном экземпляре: «Шесть лет в непроглядной гослитовской мгле томился великий писатель Рабле, но

свеялись тучи с его горизонта, и вот он уже на столе у Вильмонта». На титуле «Мадам Бовари» стояло «Из пушки по потаскушке!». А на томе французского писателя Лану: «Я приравниваю Лану к фиолетовому говну!», и уж не помню на какой книге он написал: «Скотам и хамам, милым Тате и Коле Вильямам, от которых я вместо книг получаю множество фиг!».

И моя мать, и Николай Михайлович были отчаянными матерщинниками, но у них это звучало элегантно и забавно.

Сын Николая Михайловича Боря, Борис Николаевич, ныне директор Бахрушинского музея, которого я нередко вижу на канале «Культура», как-то в конце 60-х, будучи у нас в гостях, безмерно восхищался песнями Высоцкого. Мы их еще почти не знали тогда. Боря со всем энтузиазмом юности взялся нас просвещать. А поскольку дело было на даче в Эстонии и кассету взять было негде, то он просто сам исполнял эти песни, к великому ужасу и смущению своей мамы Маргариты Романовны. Сказать по правде, вокалистом я бы его не назвала, но именно с его подачи полюбила и в полной мере оценила Высоцкого.

И еще один забавный случай, связанный с Борей. Мы в очередной раз переезжали и Боря был наряду с другими молодыми людьми призван помогать упаковывать книги. Он взялся за дело с завидным рвением, но связки разваливались тут же. Он вздыхал, охал, но потом рассказал, что в армии старшина, поглядев, как Боря справляется с какими-то солдатскими обязанностя-

Юная оптимистка.

ми, констатировал со вздохом: «Х... цена твоей работе, Любимов!».

Мы жили в гигантской коммунальной квартире. Я в комнате с бабушкой, а родители отдельно. Конечно, я стремилась как можно больше торчать у родителей, но они работали дома и пребывание там я воспринимала как настоящий праздник.

Чтобы войти в комнату, надо было преодолеть высоченный порог. Слева у самого порога стояла голландская печка, возле которой всегда лежали дрова на железном листе. От двух окон вечно дуло, несмотря на двойные рамы, между которыми зимой клали вату. У многих соседей эту вату посыпали мелко нарезанной цветной бумагой. А у нас мама клала мох. Но мне куда больше нравились пестрые бумажные кружочки и ромбики. А у одной соседки вата была посыпана чем-то блестящим, вроде искусственного снега. Соседка была статисткой во МХАТе и заодно стукачкой. Это знали все и опасались ее. У нее первой в квартире появился телевизор, КВН с линзой, и как-то она позвала меня и моего закадычного дружка Сереньку смотреть кино. Как сейчас помню, показывали «Цирк» Александрова! Моему восторгу не было предела. А когда я призналась родителям, что смотрела кино у тети Саши, они многозначительно переглянулись, и мама сказала:

— Знаешь, мы с тетей Сашей... не в очень хороших отношениях. Ты в следующий раз, если она тебя позовет, поблагодари, но скажи, что...

А папа, перебив маму, хлопнул ладонью по столу и категорически заявил:

— Нечего тебе там делать, поняла?

Разумеется, я ничего не поняла. Но, видимо, что-то поняла соседка. Больше она меня к себе не звала.

При внешней мягкости, папа мог быть весьма категоричным. Помню на даче в Звенигороде я подружилась с девочкой Натэллой. У нее была вполне милая мама и папа-грузин, по словам Натэллы, военный. В Москве мы с Натэллой продолжали дружить, но нам было по семь лет, жили мы довольно далеко и, чтобы мы могли общаться, родители возили нас друг к дружке, нечасто, но регулярно.

Однажды после прогулки в Парке культуры с Натэллой и ее мамой, по дороге домой моя мама вдруг сказала: «Знаешь, я не хочу, чтобы ты продолжала дружить с Натэллой». Я, конечно, в рев, как, почему? Мама попыталась объяснить: сегодня выяснилось, что отец Натэллы чекист, он мучал людей, которых посадили ни за что... «Но ведь это он, а не Натэлла!». «Конечно, но если бы вы были взрослые и могли сами общаться, тогда пожалуйста, а я не хочу, чтобы этот человек заходил к нам в дом...». Я ревела, мама увещевала меня, и, придя домой, я кинулась к папе за справедливостью. Выслушав нас обеих, папа вдруг стукнул кулаком по столу:

— Чтобы я больше никогда не слышал об этой птичке-чекичке!

Как ни странно, это подействовало!

Зато к другим соседям я могла ходить сколько угодно. Например, к Сереньке. Его отец, дядя Паша, работал в каком-то гараже и был горьким пьяницей, мать, тетя Шура, огромная громогласная грубая

Помню, у родителей в комнате стоял диван с двумя тумбами карельской березы, под которыми хранились нехитрые припасы к празднику. Стеклянные банки с мутноватым зеленым горошком и каперсами.

тетка очень меня любила и всегда угощала толстенными пирогами с повидлом, которые я обожала. В их комнате было множество вещей, казавшихся мне ужасно привлекательными. Здоровенная расписная кошка-копилка на покрытом вышитой салфеткой комоде. С двух сторон от кошки стояли две узкие вазочки зеленого стекла, в каждой из которых торчало по вощеному бумажному цветку. Красота! А на подоконниках стояли огромные банки с домашней горчицей.

«Дети Империи» (мама и её двоюродный брат).

Тетя Шура сама делала горчицу и всегда наваливала ее столовой ложкой в тарелку дяди Паши. Один раз я попробовала ее, у меня глаза чуть на лоб не вылезли.

Холодильников тогда еще ни у кого в квартире не было. Помню, у родителей в комнате стоял диван с двумя тумбами карельской березы, под которыми хранились нехитрые припасы к празднику. Стеклянные банки с мутноватым зеленым горошком и каперсами. То и другое предназначалось для непременного «гостевого» блюда под названием «Салат». Теперь это называют «оливье», но тогда называлось просто «салат». Что будем готовить на день рождения? Салат. И все понимали, какой. Других просто не знали. Я опросила многих моих ровесников и все вспомнили, что тогда слово «оливье» никто не употреблял, оно прилипло к «салату» примерно в начале восьмидесятых. Хорошо помню, как в семидесятых в Москву из Одессы приехал сын папиного фронтового друга и мой друг со своей женой. И хотя все знали, что данная жена не большой подарок, но мы с мамой решили, что это не наше дело и приготовили ужин по всем законам московского гостеприимства. Стол ломился и среди прочего был и пресловутый салат. Дама, видимо, считала, что есть в гостях — дурной тон и сидела с постным видом. Наконец, мама не выдержала:

— Наташа, да съешьте же что-нибудь, это, наконец, странно!

Та испугалась.

— Спасибо, я возьму немножко «оливье»!

«Дети Галактики»
(Сорёнька и я).

Боже, как мы потом смеялись над ее провинциальной манерностью. Очевидно в Одессе это и тогда называлось «оливье», но в Москве прозвучало по меньшей мере смешно. Друг мой вскоре развелся с той дамой, однако, если она всплывала в каком-то разговоре, то под кличкой «Оливье».

Я «салат» обожала и с ранних лет помогала маме его готовить. Вероятно, у каждой хозяйки есть свой рецепт «салата», как и свой рецепт борща, но я тут приведу мамин рецепт, с годами слегка изменившийся.

Картошка не должна преобладать! Итак, картошка, морковка, яйца, горошек, вареное мясо или курица, или крабы, а можно только овощи. Немного каперсов, зеленый лук, укроп, петрушка. Однажды папу послали на рынок за зеленым луком, но он принес лук-порей. Мы попробовали и с тех пор клали только порей! Все мелко порезать, смешать... Ах да, я забыла про огурцы. Можно соленые, можно маринованные, а можно те и другие и, разумеется, свежий огурчик. В моем детстве свежих огурцов зимой не было, в молодости можно было, например, к Новому году за бешеные деньги купить один маленький огурчик на рынке, «для запаха». Итак, все перемешайте, посолите, добавьте черный перец и обязательно чайную ложку сахара и майонез. Некоторые кладут в салат еще яблоко, но я это терпеть не могу. Кстати, укроп и петрушка тоже позднейшее дополнение.

В нашей огромной коммуналке на втором этаже хлипкого двухэтажного деревянного дома кто только не бывал! Кто только не перешагивал высокого порога комнаты родителей! Пастернак и Нейгауз, Марина Цветаева, безответно влюбленная в моего отца. Правда, это было до моего рождения. Больше всех в раннем детстве я обожала подругу и коллегу родителей, Надежду Михайловну Жаркову, великолепную переводчицу с французского, остроумную и злоязычную. Большая, яркая, с крупным густо накрашенным ртом и близоруко сощуренными глазами, она любила со мной возиться. Со мной, малявкой, она разговаривала как со взрослой и мне это ужасно нравилось. Она всегда рисовала мне даму с собачкой. Рисовала, как я понимаю, из рук вон плохо, но мне нравилось, что у дамы была всякий раз другая, но обязательно большая шляпа. Папа вечно издевал-

Я «салат»
обожала и с ранних
лет помогала
маме его готовить.
Вероятно,
у каждой хозяйки
есть свой рецепт
«салата»...

ся над нами, а Надя — когда мне исполнилось пять лет, она велела мне говорить ей «ты», что я и делала до самой ее смерти в 1986 году, — только отмахивалась:

— Отвяжись, Колька, надоели мне ваши взрослые разговоры, мне с Катькой интереснее.

У Нади было два мужа, дядя Вова и Боря, Борис Аронович Песис, папин друг юности, великий знаток французской литературы. Эта троица явилась прообразом семейства Хоботовых из «Покровских ворот». Леонид Зорин был соседом Бориса Ароновича по коммуналке у Петровских ворот. И если между Хоботовым и Песисом есть все же что-то общее, то Всеволод Алексеевич и Савва Игнатьич ничуть не похожи, хотя по сравнению с блистательным интеллектуалом Песисом дядя Вова был несколько примитивен. И, конечно, Надя была не чета Маргарите. Кстати, Бориса Ароновича я с пяти лет тоже называла на «ты». Его рассеянность, доверчивость и бытовая неприспособленность были притчей во языцех среди друзей и знакомых. Он вечно все путал, забывал и от этого нередко попадал в смешное положение. Разыгрывать его считали за счастье все. Помню массу рассказов об этих розыгрышах.

Например, до войны папа, мама и Борис отдыхали в доме творчества в Голицыне. Была зима. Они втроем отправились на прогулку. Мимо проехал газогенераторный грузовичок. В кузове его были две колонки, которые топились чурками. Я таких, разумеется, не виде-

Мое первое фото было сделано великим Сергеем Урусевским.

ла, знаю лишь по рассказу родителей. Но в то время эти грузовики встречались на каждом шагу.

— Что это у него в кузове? — словно прозрел вдруг Борис Аронович.

— А это бачки с кофе и чаем для заключенных, — не моргнув глазом ответил папа. Все знали, что неподалеку располагается лагерь.

— А, — вполне поверил Песис.

На обратном пути они снова увидели такой грузовичок. Он, видимо, сломался.

— Боря, — сказала мама, — умоляю, попросите у шофера для меня стаканчик чаю. Я смертельно хочу пить.

Он вскипел от негодования и презрения.

— Тата, как вам не совестно! Вы сытая, свободная, сейчас придете в Дом, сядете за стол, будете обедать, и вы хотите отнять глоток горячего питья у несчастных узников! Тата, мне стыдно за вас! Нельзя быть такой эгоисткой. — И все в таком духе.

У папы от смеха сделалась истерика. Он оступился и упал в заснеженный кювет.

И еще одна история про Песиса. Просто жалко умолчать о ней.

Мама и Надя отдыхали в Архипо-Осиповке, и Борис должен был прислать им деньги на последние дни и обратную дорогу. Они ждут, а денег все нет и нет. Они забили тревогу, дозвонились папе, тот выслал деньги и спросил у Бори, в чем дело. Тот, как всегда все перепутал и послал деньги почему-то в Геленджик. Через некоторое время ему приходит телеграмма с Юга: «Жу-

— Коля, она у вас нахалка! Лезет в тарелку! Мой Франтик себе такого не позволяет! Он, правда, снимает кусочки с моей вилки, но это другое дело!

ковой Ольге присудили алименты». И подпись — сестры Акростиловы. Он ничего не понял, возмутился, но решил, что это путаница. Отправился на почту, выяснять. Оказалось, что адрес его, все точно. Только исправили одну букву в фамилии неведомых сестер. Л на Х. Сестры Акростиховы. Но в пылу праведного

Николай Николаевич Вильмонт.

гнева он на такую чепуху не обратил внимания. Он всюду показывал эту телеграмму и возмущался. А на него смотрели с подозрением и даже слегка презрительно, как на человека, уклоняющегося от алиментов. И лишь когда из отпуска вернулась Надина сестра Ольга, и он показал ей злополучную телеграмму, она чуть не скончалась от хохота:

— Боря, да это Надя с Татой написали вам, что вы жопа!

Надо заметить, что с чувством юмора у него было все в порядке, — он согласился с мнением дам. И рассказывал потом, как строго и недовольно смотрела его начальница, старая большевичка Стасова, похоже, поверила, что он уклоняется от алиментов.

Бывал у нас и удивительный человек Вильгельм Вениаминович Левик. Большой, громогласный, говоривший немного странно, нараспев. Я в раннем детстве его боялась, потому что он, приходя, хватал меня на руки и поднимал «выше лампы». Виля был не только блистательным переводчиком поэзии, но и одаренным художником. И при этом человеком немного не от мира сего. Родители всегда вспоминали, как на второй день войны он появился на пороге и заявил:

— Товарищи! Потрясающая новость!

Все, кто был в комнате, замерли. Каких новостей можно ждать на второй день войны?

— Я только что узнал! Оказывается, угри из водоема в водоем переползают по суше!

Он был даже отчасти нашим родственником. По кошачьей линии. Его кот Франтик, был первенцем нашей кошки Китти.

Мама за работой.

Увидев однажды, как Китти утащила прямо с папиной тарелки кусочек мяса, он воскликнул:

— Коля, она у вас нахалка! Лезет в тарелку! Мой Франтик себе такого не позволяет! Он, правда, снимает кусочки с моей вилки, но это другое дело!

Нередко бывал и еще совсем молодой Лев Владимирович Гинзбург, только начинавший тогда переводить. Он всегда считал моего отца своим учителем. Помню как они работали над переводом баллады Шиллера «Хождение на железный завод». Там были такие страшные строки:

«Печь нажралась и зубы скалит,
Пусть граф рабов своих похвалит!».

И хотя в печь отправили не чистого душою Фридолина, а злодея Роберта, меня все равно кидало в дрожь.

Все эти люди и многие другие очень любили у нас бывать, кроме всего прочего потому, что мама была хлебосольной хозяйкой и отменной кулинаркой, хотя и весьма консервативной. У нас в доме всегда как главное блюдо подавали либо жареную телятину, либо дичь: куропаток, рябчиков, тетеревов, глухаря. Я все это любила и до сих пор люблю.

Телятина одним куском жарилась или, как теперь говорят, «запекалась» в духовке. Без кости телятину было не купить. И когда после гостей оставалась большая кость, то остатки мяса аккуратно срезались и из них делалось вполне будничное блюдо «Телятина под бешамелью». Под этой самой бешамелью делали и рыбу. Готовится это так: смазать сливочным маслом сковородку. На дно уложить вареную картошку кружочками. Сверху слой мяса или жареной рыбы, затем тертый сыр и еще раз все то же самое слоями. Далее готовим собственно бешамель: столовую ложку муки обжариваем в сливочном масле до золотистого цвета и перекладываем в широкую кастрюлю, не эмалированную, иначе пригорит. Кипятим пол-литра молока и постепенно вливаем в широкую кастрюлю, стоящую на слабом огне, растирая муку венчиком до получения однородной массы. Снимаем с огня и вбиваем одно яйцо. Солим, перемешиваем и заливаем этой массой рыбу или мясо с картошкой. Посыпаем опять тертым сыром и ставим в горячую духовку до появления румяной корочки. Вкусно до безумия!

Бывала у нас часто мамина подруга Нина Станиславовна Сухоцкая, высокая, красивая женщина необыкновенной доброты. В прошлом актриса Камерного те-

У нас в доме всегда
как главное блюдо
подавали либо жареную
телятину, либо дичь:
куропаток, рябчиков,
тетеревов, глухаря.

атра, она преподавала во ВГИКе... Мы с мамой тоже частенько бывали у нее в доме рядом с бывшим Камерным театром. Нина Станиславовна была племянницей великой Алисы Георгиевны Коонен. Мама с Ниной дружили с детства и, разумеется, мама была горячей поклонницей Камерного театра, обожала Коонен и у меня среди старых фотографий сохранилось немало открыток с портретами Таирова, Коонен, Церетели. Я была подростком, когда попала на один из последних творческих вечеров Алисы Георгиевны в ВТО. Она играла сцену из «Антония и Клеопатры», сцену из «Федры» и что-то еще, кажется, «Мадам Бовари». Хорошо помню свои впечатления. Сначала я даже немного испугалась: вышла старая женщина в каком-то странном гриме и заговорила, как мне показалось, до ужаса неестественным голосом. Я сжалась, но через несколько минут забыла о ее возрасте, о непривычном звучании голоса и смотрела, затаив дыхание. Это было, вероятно, первое театральное чудо в моей жизни. Была я еще на вечере, когда Коонен читала Блока. А вторым чудом для меня явились гастроли греческой актрисы Аспасии Папатанассиу. Это был совсем

Алиса Георгиевна Коонен.

другой театр, там страсти рвались в клочья. Не знаю, уместно ли это в греческой трагедии, но я была потрясена. Кстати, на спектакле, кажется, это была «Антигона», мы встретили Алису Георгиевну. Она безусловно признавала талант актрисы, но форма явно была ей чужда. Я во все глаза смотрела на Коонен. Хрупкая старая дама в простеньком английском костюме с фантастическими незабываемыми глазами. Еще раз я видела ее на дипломном спектакле ВГИКа в театре-студии киноактера, нас с мамой пригласила Нина Станиславовна, так как играли ее ученики. Это был «Тиль Уленшпигель» и я запомнила с тех пор очаровательную белокурую Неле — Аллу Будницкую и Сову — Игоря Ясуловича. А еще из театральных впечатлений детства и отрочества запомнился Георгий Вицин в спектакле театра Ермоловой «В добрый час!». Мне было лет десять и кроме впечатления от дивной игры Вицина, с этим спектаклем связана одна смешная детская драмка. Мама где-то достала мне голубенькие клеенчатые босоножки, и я жаждала их надеть в театр. Но стояла зима. Конечно, тогда в театре почти все меняли обувь, но мама была неумолима, и я долго и безутешно рыдала. Папа, как обычно, взял мою сторону.

...у меня среди старых фотографий сохранилось немало открыток с портретами Таирова, Коонен, Церетели.

— Тата, но в театре тепло, пусть будет в босоножках, если ей так хочется!

— Что за глупости, Коля! Как можно надеть эти босоножки к зеленому шерстяному платью! Абсурд!

— А я надену розовое! — закричала я.

— Но оно же летнее! — разъяснила мама.

— Оно не летнее, оно нарядное! — рыдала я.

— Тата, в театре тепло!

— Вот ты и иди с ней, а я с таким посмешищем не пойду! — рассердилась мама.

В результате я пошла в театр с папой, в розовом пикейном платье и клеенчатых босоножках! И надо заметить, чувствовала себя там не королевой, а белой вороной. Мама оказалась права.

Вообще в театр я чаще ходила с папой. Самый первый раз это был «Аленький цветочек» в театре Пушкина. Как сказали бы теперь, «культовый» спектакль для детей моего поколения. После спектакля я так горько плакала оттого, что он кончился, что папа в утешение купил мне куклу. Мама сочла это излишним баловством. Она сама безудержно меня баловала, но не любила, когда это делали другие.

С чего это вдруг в моих воспоминаниях возник театральный уклон вместо кулинарного? Придется привести здесь какой-нибудь простенький мамин рецепт.

Например, на завтрак мама нередко делала «рубушки»: надо взять четыре яйца, сварить вкрутую, нарезать как бог на душу положит, пока не остыли, добавить мягкого сливочного масла и мелко нарубленного зеленого лука, размять вилкой, посолить, перемешать и есть теплым. Вкуснейшие бутерброды получаются. А вот и еще один, по тем временам летний вариант, а сейчас доступный в любое время года: горячие крутые яйца нарезать кубиками, добавить два свежих огурца и растопленное сливочное масло. Посолить слегка, почему-то это блюдо очень легко пересолить. Есть сразу, иначе масло застынет и будет не так вкусно. Конечно, масло можно заменить майонезом, но это будет уже совсем другой коленкор.

Помню, что в детстве я мучилась комплексом благополучия. По сравнению со многими ребятами во дворе наша семья жила относительно «богато» и я этого стеснялась. Хотя сейчас, когда я смотрю на некоторые фотографии своего детства и вспоминаю вечные проблемы, где что достать, а особенно если сравниваю эти фотографии с детскими фотографиями мамы...

В моем раннем детстве мама часто брала меня с собой в магазины. Хорошо помню выложенные красивыми штабелями банки крабов с таинственной надписью «снатка». Помню мотки вязиги, овальные лотки с икрой, зернистой и паюсной, но меня это не интересовало, я это не любила. А любила я, как и большинство детей, сосиски. А вот их-то как раз и не было. В Москве имелось несколько мест, где можно было съесть сосиски и в одно из этих упоительных мест мы с мамой ходили с полной регулярностью.

Ванна в нашей коммуналке была, но такая, что и вспомнить жутко. Поэтому мы с мамой ходили в Сандуновские бани. Это был праздник! Во-первых, там имелся бассейн! А во-вторых, после бани мы с мамой шли в Столешников переулок в кафе «Красный мак», где ели сосиски с горошком, запивая их ситро! А потом заходили в знаменитую кондитерскую, где покупали эклеры с заварным кремом. Я их тогда не очень любила, предпочитая им другие — обсыпные со сливочным. А родители признавали только заварной. Иногда вместо кондитерской мы шли на Неглинку в магазин «Пионер», где покупали тетрадки, ручки, перья (у меня до сих пор остался бугорок на среднем пальце правой руки от жестяного наконечника перьевой ручки). В кондитерскую и в «Пионер» за один раз мы никогда не ходили. Удовольствия надо дозировать, считала мама.

А еще сосиски можно было съесть на ВДНХ. Там на лотках продавалось это вожделенное лакомство, по две штуки вкладывали в половину французской булки! У меня слюнки текли, едва я видела лоток!

Вероятно, были еще и другие «сосисочные» места, но я их не помню. Сейчас, когда в магазинах есть огромное множество сортов, я отношусь к ним вполне равнодушно. Но вот один из любимейших бутербродов моего детства я обожаю и по сей день, но уже не могу себе часто позволить из-за проблем со здоровьем. Это бутерброд с килькой и яйцом. Чтобы бутерброд был вкусным, кильки надо уметь чистить! Я этим искусством овладела в совершенстве, орудуя фруктовым ножом и вилкой, я могу очень быстро начистить целую го-

— Коля, я сама вымою, быстрее будет!
— Быстро только кошки е...! — невозмутимо отвечал он, продолжая священнодействовать.

ру килек. Эти бутерброды — изумительная и весьма эстетическая закуска. К тому же совсем недорогая.

Итак, хлеб можно взять черный, а можно и белый, лучше всего обыкновенный батон. Намазать маслом, положить кильки, сверху ломтик яйца. И готово! Конечно, можно добавить колечко репчатого лука или посыпать зеленым, можно и кусочек свежего огурца, веточку укропа или петрушки, ну это уж на ваш вкус.

Я в юности много хворала и мне одно время запрещали есть соленое. Но стоило родителям куда-то уехать хоть на день, я тут же мчалась покупать кильки! А еще из запретного я обожала шоколадное масло! И почему-то очень любила нарезанный сыр. Папа этого не признавал. Он вообще был сырная душа! Сыр всегда покупался куском, а мне хотелось нарезанного! Помню, папа покупал рокфор, которого я тогда в рот не брала. Он садился за стол и аккуратно перекладывал рокфор в керамическую баночку с крышкой. Он вообще был по-немецки педантичен в быту, обожал мыть посуду и не терпел беспорядка. Нам с мамой частенько доставалось на орехи за вовремя не застеленную постель или за кавардак на письменном столе.

Мама все делала быстро и часто раздражалась из-за папиной медлительности, например, во время мытья посуды.

— Коля, я сама вымою, быстрее будет!

— Быстро только кошки е... ! — невозмутимо отвечал он, продолжая священнодействовать.

Он вообще любил, чтобы все в доме было так, как должно. Но не требовал этого, а просто делал сам. Например, накрывал на стол к завтраку.

По этому поводу однажды было даже написано смешное стихотворение «Утро Вильмонта». В конце шестидесятых, когда родители снимали дачу в Эстонии, к нам приезжали туда самые разные гости. От Раневской (об этом позже) до Олега Чухонцева. Среди гостей была и замечательная женщина, Алевтина Ивановна Миронова, заведующая отделом западной литературы в Гослите. Приведу здесь этот опус, чтобы развлечь читателя, утомленного моей гастрономической прозой.

Чуть заалеет горизонт,
Как просыпается Вильмонт.
Легко ступая и бесшумно,
Он начинает день разумно.

Составив кошкам рацион,
Уходит в лес на моцион.
Вернувшись с утренней разминки,
Готовит всей семье тартинки.

Затем урча, ворча, стеная,
Колдует над заваркой чая.
Своей рукою вдохновенной,
Творит он ритуал священный:

Как пограничные дозоры
Расставит четко все приборы —
Стаканы на своих местах,
Как часовые на постах.

Окинув стол орлиным взором,
Украсит он его рокфором.
А совершивши весь обряд,
Идет Вильмонт будить отряд.

Но вышло как-то все не так:
Удрал на озеро рыбак,
Миронова сбежала в лес —
Никак ее попутал бес,
У дочки явный карантин,
Жена умчалась в магазин.

Был огорчен Вильмонт ужасно:
Трудился, видно, я напрасно.
Весьма печальная картина.
Как низко пала дисциплина!

Но все наладилось, и вскоре
Семейка оказалась в сборе.
Тартинки уплели до крошек.
«Пора мне пол накрыть для кошек!»

Сказал Вильмонт, покликал кисок
И на полу торчат у мисок
Четыре уха, два хвоста
«Ну-с, совесть у меня чиста», —
Вильмонт промолвил, вымыл руки
И посвятил себя науке.

Поздний ребенок.

Папа был красивый, элегантный, остроумный, с хулиганским блеском в голубых глазах и при этом очень уютный и домашний. Я была поздним ребенком, маме было тридцать восемь, а отцу сорок пять, когда я родилась. Они прожили бездетными тринадцать лет и вдруг такой подарок! Папа обожал меня неистово, но в то же время любил дразнить, пугать, разыгрывать.

Помню, мне было лет девять и у нас появился телевизор, «Темп-2», самый роскошный по тем временам. Мы с папой остались вдвоем — мама уехала в Дом творчества в Переделкино заканчивать срочную работу. По телевизору должны были показывать нашумевший фильм «Плата за страх» с Ивом Монтаном в главной роли. Мама специально позвонила отцу с категорическим требованием не показывать ребенку этот страшный фильм.

Сейчас, вероятно, мало кто помнит эту картину. Суть ее в том, что на нефтепромыслах возник пожар, и потушить его можно только взрывом, и для этого нужен нитроглицерин. Его перевозили в нескольких цистернах, обещая хорошо заплатить водителям. На эту сверхопасную работу подрядились совсем пропащие люди. Жидкий нитроглицерин мог взорваться от любого толчка или сотрясения. Вот такая жуткая завязка. Но

дети ведь обожают страшные истории. И я не была исключением. Подняла рев, и папа, разумеется, сдался. Мы с ним смотрели фильм вместе. Я уж не помню, чем там все кончилось и вообще не вспоминала бы этот фильм, если бы папа, когда я потребовала, чтобы он не тушил на ночь свет, потому что мне страшно, оставив гореть ночник, вдруг не произнес дурацким замогильным голосом: «Я нитроглицерин!». Я завопила, хотя прекрасно понимала, что это чушь собачья! А папа просто хотел объяснить мне, что я дурища! Вот какой чепухой иной раз запоминается произведение искусства. И прежде чем вернуться к гастрономии, вспомню еще один случай, весьма характерный для тех лет. Опять-таки по телевизору показали итальянский фильм «Утраченные грезы» (кажется, в оригинале он назывался «Дайте мужа Анне Дзаккео»). Фильм, разумеется, для детей не предназначался, но, разумеется, все дети во дворе его посмотрели. Жили-то в основном тесно, и куда прикажете девать детей? Так вот, на следующий день вся ребятня горячо обсуждала эту ленту. А там, надо заметить, сногсшибательная Сильвана Пампанини в каком-то кадре появилась голая. До сих пор теряюсь в догадках, как это могли в те годы показать по телевизору, но факт остается фактом. Вся компашка недоумевала, как это артистка голая снималась. Самым старшим и авторитетным у нас был Вова Виноградов, ему уже стукнуло двенадцать. «А чего удивляться, — пожал он плечами, — все ясно! Италия — страна капиталистическая. Там на артистку навели пистолет и сказали: «Будешь голая сниматься!». И что ей делать? Так и снималась под дулом пистолета!». Нас такое объяснение удовлетворило. В самом деле, проклятый капитализм, куда денешься!

Однако самым первым киновпечатлением была картинка на экране давно снесенного кинотеатра «Новости дня» на Тверском бульваре. Раскрывающаяся на глазах коробочка хлопка! Больше ничего не помню, а коробочку хлопка храню в памяти. И когда два года назад на Франкфуртском вокзале я увидела в цветочном киоске какие-то странные ветки с белыми пушистыми цветами, замерло сердце от этой встречи с ранним детством.

Но вернемся к рецептам, пока маминым. Хотя мои родители были уже не молоды, но тогда никто мясных су-

А чего удивляться, — пожал он плечами, — все ясно! Италия страна капиталистическая. Там на артистку навели пистолет и сказали: «Будешь голая сниматься!» И что ей делать? Так и снималась под дулом пистолета!»

пов не боялся. И у нас нередко варили бульон, а к нему подавались сухарики с сыром. Вкусно, просто и быстро.

Нарезать тоненько батон и каждый кусочек разрезать еще пополам. Смазать маслом и обмакнуть в натертый сыр, чтобы он как следует прилип к хлебу. Выложить на противень и поставить в нагретую духовку. Минут десять-пятнадцать, и сухарики готовы. К бульону нет ничего вкуснее, особенно, когда с пылу с жару! Можно это подавать и к кофе. А еще есть вариант к чаю: все то же самое, но на хлеб с маслом кладется еще тонкий кружок яблока, лучше антоновки, а сверху опять-таки сыр. Попробуйте, это совсем просто!

И уж коль скоро речь зашла о сыре, приведу тут еще один мамин рецепт под названием «венгерский сырок». Превосходная штука!

Берем творог, грамм триста, разминаем его вилкой или дырчатой толкушкой для пюре, мелко режем зеленый лук, высыпаем в творог, добавляем туда горстку сухого тмина и две столовые ложки сметаны. Солим, перчим и хорошенько перемешиваем! Зеленый лук и тмин кладем по вкусу. Первый раз попробуйте начать понемножку, а дальше как вам понравится! Сырок можно мазать на хлеб, можно набить им помидор, или цветной перец, вариантов масса.

Я партию не видела...

Как-то утром мама сказала мне: «После школы иди прямо к бабушке, к нам не ходи!».

— Почему? — крайне удивилась я.

Мама на мгновение замялась, а потом со вздохом проговорила:

— Понимаешь, к нам придет один человек... Он только что вышел из тюрьмы...

У меня глаза полезли на лоб! Как это?

— Его посадили... по ложному обвинению, он только что вернулся в Москву, ему, наверное, тяжело будет тебя видеть, у него сын твоего возраста, но не в Москве, а в Саратове... Ну, ты же умная девочка, ты поймешь.

Сказать по правде, я ничего не поняла! Как это посадили зря? Что это значит? Хотя какие-то смутные разговоры я уже слышала.

Все началось еще в прошлом году, в городе Пярну, где мы отдыхали летом. Наша хозяйка Софья Яновна работала в книжном магазине, родители с ней подружились, она была интеллигентной женщиной и называла меня «Катюшей Масловой» из-за легкого косоглазия. Так вот Софья Яновна в один прекрасный день, вернувшись с работы, сразу побежала к родителям и сообщила драматическим шепотом, что им велено было снять все портреты Берии и спрятать пока в подвал! А осенью в Москве я уже с приятелями во дворе распевала: «Берия, Берия, вышел из доверия, а товарищ Маленков надавал ему пинков!».

Спустя три года, после двадцатого съезда, помню, папа шутил:

— А что же теперь будут петь девчонки? Раньше было понятно: «Я маленькая девочка, играю и пою, я Сталина не видела, но я его люблю!». А теперь, видимо, придется петь так: «Я маленькая девочка, играю и пою, я партию не видела, но я ее люблю!».

И хотя так никто не пел, но любовь к невидимой партии вбивалась в наши мозги везде и всюду. Кроме семьи, разумеется! А первым человеком, пришедшим в нам после лагеря, был Борис Леонтьевич Сучков, впоследствии ставший директором Института мировой литературы, однако так никогда и не оправившийся от травмы. Вторым возвращенцем был Абель Исаакович Старцев, специалист по американской литературе. А потом их было уже много.

Кстати, в связи с арестом Сучкова только чудом не пострадал и мой отец. Когда он в третий раз умудрился потерять партбилет (о предыдущей потере я расскажу ниже), на партийном собрании выступил поэт Ж. Пылая праведным гневом истинного партийца, он заявил, что это неспроста Вильмонт третий раз теряет партбилет! Это, несомненно, связано с делом небезызвестного

Сучкова, ведь они работали вместе, в одном издательстве! И казалось, что по обычаю тех лет сейчас все гневно заклеймят шпиона, который не просто теряет документы, а поставляет их врагам для проникновения в ряды и т.д. Неожиданно слово взял отнюдь не отличавшийся либерализмом и вегетарианством Анатолий Софронов и заявил, что только последнему идиоту может прийти в голову воспользоваться документами на фамилию «Вильям-Вильмонт»! Как ни странно, но это подействовало и рассеянный литератор был спасен. На него, разумеется, наложили кучу всяких партийных взысканий, но не арестовали и даже не выгнали из партии. Кстати, когда папа на фронте вступил в партию, мама с тяжелым вздохом сказала: «Коленька, ты же обязательно потеряешь партбилет!». И как в воду глядела.

Прошло много лет, папа оказался в Западной Германии в одной делегации с Софроновым. И поблагодарил его за спасение, напомнив то собрание. На что Софронов рассмеялся. «Да нет, Николай Николаевич, я вовсе не хотел вас спасать, просто этот Ж. такой идиот, что я не выдержал!».

Надо сказать, что первый раз партбилет был утерян, вернее, еще не партбилет, а кандидатская карточка при обстоятельствах, о которых я просто не помню, видимо, ничего примечательного. Но папу рекомендовала в партию весьма заслуженная старая большевичка Елена Дмитриевна Стасова, она же и вступилась за него. Но зато вторая потеря! Эта история стала впоследствии притчей во языцех! Он умудрился потерять

Я поднялась и Олег Николаевич шикарным жестом вручил мне букет из… воблы! Я была в полнейшем восторге. Сейчас многие молодые просто не могут поверить, что так было!

Берия, Берия,
вышел из доверия,
а товарищ
Маленков
надавал ему
пинков.

вторую кандидатскую карточку... в прифронтовом борделе в Румынии. Но это бы еще полбеды! Самое пикантное заключалось в том, что он не понял, куда попал! Он по простоте душевной решил, что это гостиница. Обрадовался, что можно будет поспать и помыться, и будучи большим демократом, попросил один номер на двоих, на себя и шофера. Хозяйка заведения отнеслась с пониманием к пожеланию советского офицера и предоставила им вполне приличный номер. Шофер же сразу смекнул, куда попал и отпросился: «пойду менять часы»! Весьма распространенная на фронте забава! И вдруг ночью отца разбудил громкий скандал, к нему в комнату ворвалась местная девица, вся в слезах, что-то крича по-румынски. Рядом топтался шофер.

— В чем дело? — грозно воскликнул майор Вильмонт.

— Товарищ майор, я просто хотел у ней фотокарточку на память взять, а она разоралась, как... — И он протянул папе желтый билет с фотографией девицы!

Вот тут майору Советской Армии стало коломитно. Он все понял! Вернув девице ее документ, он вскочил и они поспешили ретироваться. Но в спешке майор потерял свою кандидатскую карточку! История эта выглядит анекдотом, многие думали, что отец, как теперь говорят, придуривался, но зная его, я абсолютно в это верю!

Благодаря своей рассеянности, отец избежал многих неприятностей. Еще до войны его пригласили на конспиративную квартиру для вербовки, не столько в стукачи, сколько, кажется, в шпионы, он ведь безупречно владел немецким. После разговора, во время которого несчастный всячески отнекивался, но не смог при-

вести достаточно убедительных доводов, ему милостиво дали время «подумать». Он вышел из этой квартиры в ужасе и отчаянии, полез в карман плаща за платком, чтобы утереть холодный пот, но вместо платка вытащил незнакомые ключи и жестянку с ландрином. Он даже не сразу сообразил, что перепутал плащи. И пошел обратно. На звонок выскочил разъяренный инструктор. Видимо, у него уже был следующий кандидат в шпионы. Плащ папе вернули и с тех пор оставили в покое. Его рассеянность была не просто отговоркой... Куда такому в шпионы?

В связи с этой историей я упомянула коробочку ландрина. Сейчас я что-то не вижу ни ландрина, ни монпансье. Для молодых объясняю. Монпансье — прозрачные маленькие леденцы, которые продавались в пестрых жестянках. Желтые, красные и зеленые. А ландрин — тоже леденцы, но обсыпанные сахаром. В моем детстве в булочных стояли большие стеклянные банки с леденцами, подушечками, раковыми шейками без оберток. Подушечки были весьма разного вида. Белые, розовые, коричневые, присыпанные какао, полосатенькие. А конфеты подороже и посолиднее помещались в вазах на ножках. Отдельная витрина обычно отводилась под сухари. Каких только сухарей там не было! Постепенно, с годами магазины будто теряли вид и цвет, становились все более тусклыми и просторными. Пастила, например, была раньше белая и розовая, осталась только белая. В коробоч-

ке со сливочной помадкой когда-то лежали розовые, белые и шоколадные и наверху каждой конфетки был маленький цукатик. С годами в коробках остались помадки только одного цвета. Кстати, розовые, по-моему, вовсе исчезли, как и цукатики. Хорошие конфеты стали дефицитом, как и прочие деликатесы, вроде сырокопченой колбасы и красной рыбы, постепенно дефицитом становилось почти все. Отлично помню, в год пятидесятилетия Советской власти в праздничный день мы с мамой отправились на «добычу» и в гастрономе «Спутник», что на Ленинском проспекте у Калужской заставы, увидели огромную очередь за семгой. Семги хотелось, и мы покорно встали в очередь. Кто только не стоял в этом хвосте! Разные знаменитости, но конкретно помню только Игоря Кириллова. Нам повезло, и мы не зря стояли. Укладывая в сумку два пакета — нас ведь было двое, и нам достался целый килограмм! — мама проговорила с тяжелым вздохом: «Бедная моя девочка! На шестидесятилетие тети Сони семги уже не будет. Это точно!». Ее и впрямь не было на шестидесятилетие, а на семидесятилетие вообще почти ничего не было! Какие-то жалкие наборы, которые выдавали членам Союза писателей. У нас в семье, как говорил Олег Чухонцев: «Куда ни плюнь, попадешь в члена Союза», и мы имели право на три заказа. Один всегда отдавали кому-то из друзей, а от двух в стенном шкафу скопилось столько пачек чая «со слоном», что я горя не знала в эпоху перестройки, когда вся Москва пила радиоактивный турецкий чай.

Так что я дитя не только галактики, но и дефицита. В полной мере! Боже как захватывающе интересно мы

Видимо, аромат пирога был столь соблазнителен, что кто-то из братьев-писателей не смог совладать с искушением.

жили! Мы постоянно ходили на охоту! Вот, предположим, нужно поехать в совершенно другой район Москвы. Ты непременно заходишь там в продовольственный магазин. Авось что-то «выкинут»! Один наш весьма интеллигентный знакомый как-то спешил к даме сердца в районе Измайлова. И вдруг видит бушующую толпу.

— Что случилось? — спросил он у какой-то женщины.

— Дарью выкинули! — бросила она на ходу.

— Выкинули? Из окна? — в ужасе спросил он. Даму его сердца как раз звали Дарьей, и он решил, что ревнивый муж узнал...

К счастью, ему быстро объяснили, что «Дарья» это название импортного стирального порошка!

Жертвами психологии дефицита становились очень многие. Например, отец моей закадычной подруги незабвенный Олег Николаевич Писаржевский, писатель и публицист, был заядлым оптовиком. У них в квартире хранилось множество всяких припасов. Помню, меня поразило огромное количество консервных баночек с исландской селедкой в винном соусе. Эти баночки штабелями стояли на широком подоконнике их кухни.

— Господи, куда столько? — спросила я у Ольги.

— Папа все покупает оптом, — вздохнула та.

Кстати, Олег Николаевич, очаровательный человек, галантнейший, добрейший, дамский угодник, в день моего рождения позвонил мне и сказал:

— Зайди-ка к нам, я хочу лично тебя поздравить! Все-таки дата — шестнадцать лет!

С Ольгой
Писаржевской.

Я немножко удивилась, но пошла. Мы жили в одном подъезде писательского дома на Ломоносовском проспекте. (Мы с Ольгой и теперь живем в одном доме, правда, совсем в другом, но дружим по-прежнему). Я поднялась и Олег Николаевич шикарным жестом вручил мне букет из... воблы! Я была в полнейшем восторге. Сейчас многие молодые просто не могут поверить, что так было!

А как омрачали нашу юность проблемы вечно отрывающихся бретелек на кошмарных лифчиках, резинок на поясах для чулок, поехавшими петлями на дефицитных чулках, наконец, дефицит ваты. Помню, вместо дезодорантов каждый придумывал что-то свое. Я, например, толкла таблетки уротропина в порошок и смешивала с детской присыпкой. Правда, потом стали появляться импортные средства, но их тоже далеко не всегда можно было купить.

Кстати, на Ломоносовском проспекте, где мы жили тогда, имелся магазин «Сыр». До начала семидесятых там ассортимент был не хуже, чем сейчас. Прилавок с твердыми сырами, прилавок с рассольными, с мягкими и плавлеными. Помню, в семидесятом году к нам приехал из Одессы друг и впал в экстаз от разнообразия сыров. Уезжая домой, он купил головку рокфора. Кстати, советский рокфор был одним из самых дешевых сыров, но очень хорошего качества. Мы, граждане великой советской империи, постоянно возили что-то съестное из города в город, из республики в республику. Например, в Тбилиси я возила сливочное масло. Там оно всегда было в дефиците. В Эстонию — тонкие макароны и постное масло в пластиковых бутылках. В Армению майонез и московские конфеты. Из Таллина, где я часто бывала, я перла, конечно же, копчушки, копченое мясо, конфеты...

И с непродовольственными товарами было то же самое. Из Таллина возили махровые халаты и трикотаж фабрики «Марат», из Ленинграда — эмалированную посуду, из Армении обувь, из Грузии — всякие модные мелочи, вроде нейлоновых авосек или водолазок. Как-то в ранней молодости мы с Ольгой Писаржевской и ее мужем Толей Монастыревым ездили погулять в Ригу, перед самым отъездом на последние деньги купили два белых эмалированных чайника и две белые махровые азалии в горшках! И горды были чрезвычайно!

Однако пора уже дать какой-нибудь рецепт. Коль скоро речь тут зашла об Ольге, то приведу рецепт простейшего и очень вкусного теста, которое она попробовала у кого-то из знакомых. С тех пор оно стало у нас излюбленным!

Что нам нужно для этой прелести? Пачка маргарина, два стакана муки, полстакана воды, соль, чайная ложка сахара, чайная ложка уксуса и ровно три минуты времени!

Уксус добавляем в воду. Мягкий маргарин разминаем с мукой, солим, высыпаем сахар и постепенно льем воду. Замешиваем тесто и когда оно отстает от дна миски, на два часа отправляем в холодильник.

Лучше завернуть тесто в фольгу. Потом щедро насыпаем муку на стол и раскатываем тесто тоненько-тоненько. Начинка годится любая. Мясо, капуста, грибы, яблоки, что угодно. Залепив пирог, смазываем яйцом и накалываем вилкой. Еще один совет (тоже ноу-хау Писаржевской): пирог можно сделать накануне и на противне поставить в холодильник, чтобы испечь прямо перед приходом гостей. Очень удобно! Это, понятное дело, не относится к яблочным пирогам. Потекут!

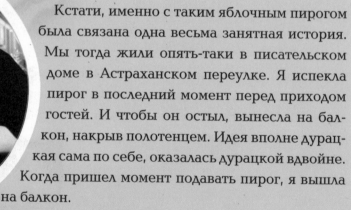

Кстати, именно с таким яблочным пирогом была связана одна весьма занятная история. Мы тогда жили опять-таки в писательском доме в Астраханском переулке. Я испекла пирог в последний момент перед приходом гостей. И чтобы он остыл, вынесла на балкон, накрыв полотенцем. Идея вполне дурацкая сама по себе, оказалась дурацкой вдвойне. Когда пришел момент подавать пирог, я вышла на балкон.

— Мама, ты взяла пирог? — крикнула я в комнату.

— Даже и не думала!

Короче говоря, пирог искали и хозяева и гости. Но тщетно! Наконец, кто-то догадался глянуть вниз и увидел, что из земли под балконом торчит доска. Я бросилась вниз. Доска действительно торчала из земли, и бы-

ло понятно — ее туда отправили сверху с большой силой. Все стало ясно, наш балкон от соседнего отделяла стенка из оргалита, впрочем, вполне надежная. Но рядом с ней стоял старенький шкафчик, на который я и поставила пирог. Видимо, аромат пирога был столь соблазнителен, что кто-то из братьев-писателей не смог совладать с искушением. Кто именно тогда там жил, мы не знали, это был другой подъезд. Но зато вы можете составить себе представление о качестве пирога! Кто-то не побоялся на высоте восьмого этажа перегнуться через балконные перила. Голод не тетка!

Выше я уже не раз упоминала папиного фронтового друга из Одессы. Игорь Петрович Гейбер, один из самых очаровательных людей, которых я знала. Высокий, полный, красивый, шумный, от которого исходила невероятная доброта и обаяние. Он совершенно обожал моего отца. И, надо заметить, папа тоже его обожал! Однажды, когда отцу в очередной раз отказали в заграничной турпоездке, я поняла, что сейчас он неизбежно впадет в депрессию и сказала маме: «Увези его куда-нибудь!».

— Куда? — откровенно растерялась мама.

— В Одессу! — сообразила я. — Вы оба там не были, сейчас там, наверняка, хорошо (дело было в конце мая).

— Не согласится, — покачала головой мама.

— Папа, хочешь поехать к Изе? — с места в карьер спросила я.

— К Изе? В Одессу? — задумался он. — Да, наверное, единствен-

Игорь Петрович так вдохновенно отбивал мясо, что ошметки разлетались по всей кухне, и потом их было не так-то легко отскрести от стен.

ный человек, которого я сейчас хочу видеть, это Изя! Но как же тридцатое?

Тридцатого мая, в день смерти Бориса Леонидовича Пастернака на даче в Переделкине собирались оставшиеся в живых друзья и родственники. Папа каждый год бывал там.

— А если бы ты уехал в Италию?

— Так то Италия! Юдина будет звонить, — проговорил он с тоской.

— Ничего, я скажу, что ты уехал в Одессу болеть за «Черноморец»!

Это показалось папе настолько диким и смешным, что он согласился.

Игорь Петрович Гейбер.

Мария Вениаминовна Юдина, знаменитая пианистка, не принадлежала к числу людей особенно любимых папой, но зато она любила с ним беседовать и частенько укоряла его за некоторое сибаритство. Сама же она была абсолютным аскетом. Могу предположить, что она никогда даже не слышала о существовании футбольной команды «Черноморец». Полагаю так же, что я не осмелилась бы по молодости лет так ей ответить, но, к счастью, она не позвонила.

Однако вернемся к Гейберу. Кроме массы прочих достоинств, Игорь Петрович еще и великолепно готовил! В его облике и в манере было что-то раблезианское. К примеру, он потрясающе делал бефстроганов. Являлся к нам с дефицитнейшей говяжьей вырезкой и выгонял всех из кухни. Мама, восхищаясь результатом, панически боялась процесса. Игорь Петрович так вдохновенно отбивал мясо, что ошметки разлетались по всей кухне, и потом их было не так-то легко отскрести от стен. Тем не менее, рецепт был взят на вооружение. Привожу его здесь. Казалось бы ничего оригинального, но вдохновение Игоря Петровича делало это блюдо самым вкусным в мире.

Итак, берем мясо, лучше всего вырезку, сильно отбиваем и режем на длинненькие кусочки, как положено. Режем много луку и жарим на сковороде на растительном масле. Когда лук зарумянится, кладем мясо, перемешиваем с луком, когда мясо зарумянится и жидкость выпарится, дольем немного растительного масла, чтобы мясо не пригорело, и всыпем муку и опять же перемешаем — надо, чтобы мука обволокла все мясо. Когда в очередной раз мясо зарумянится, добавим сметану и ложку горчицы. Обычной русской горчицы. Накроем крышкой и тушим на маленьком огне минут десять. Все! Но главное в этом блюде вдохновение и темперамент!

Как-то я гостила у Гейберов в Одессе, и по утрам Игорь Петрович будил меня так:

— Солнце, вставай! Я уже сходил на Привоз и нажарил тебе бычков! Ты любишь бычки?

Из его рук я готова была есть даже то, чего никогда не ела. К примеру, попробовав его голубцы, я их нежно полюбила. А дома и в рот не брала.

Но жена Игоря Петровича, тетя Циля, редкой красоты женщина, готовила просто фантастически. Из ее

Из его рук я готова
была есть даже то,
чего никогда не ела.
К примеру,
попробовав его
голубцы, я их нежно
полюбила. А дома
и в рот не брала.

рецептов я взяла на вооружение один: сотэ по-одесски! Я его и сейчас готовлю, но куда упрощеннее и эклектичнее. Но тут привожу рецепт во всей его одесской первозданности.

Нам понадобятся кабачки, баклажаны, помидоры, лук, петрушка, яблоки и сливы.

Кабачки и баклажаны режем кружочками, обваливаем в муке и жарим отдельно на растительном масле, слегка подсаливая. Помидоры обдаем кипятком, снимаем шкурку. Жарим отдельно лук и морковь. Когда все подготовлено, укладываем слоями в жаровню. Лук и морковь вниз, затем кабачки, зелень, баклажаны, помидоры, зелень, нарезанные тонкими ломтиками яблоки, зелень, сливы тоже небольшими кусочками и еще раз всю эту прелесть послойно. Сверху много зелени. Закрываем крышкой и тушим на слабом огне. Вскоре, несмотря на крышку, у вас начнет ехать крыша от запаха. Через двадцать минут потушите огонь и перемешайте. Это можно есть как горячую закуску или гарнир, а можно и как холодную закуску. В Одессе сотэ уже в тарелке сдабривали сметаной. Очень недурственно, однако необязательно.

Пока писала, у меня текли слюнки, но я уже очень давно готовлю сотэ по упрощенной схеме. Без муки, без моркови, все валю вперемешку. Тоже вкусно, — но это уже не Одесса или не та Одесса!

В противовес этому канительному и достаточно тяжелому блюду приведу мамин рецепт баклажанной икры, приготовление которой отнимает совсем мало времени и сил, и к тому же, если вам не запрещены сами баклажаны, вы можете есть ее практически при любой диете. А вкусно — ужас!

*Пока писала,
у меня текли
слюнки, но я уже
очень давно готовлю
сотэ по упрощенной
схеме.*

Берем килограмм баклажанов, отрезаем попки, моем и укладываем на противень. Печем в горячей духовке минут сорок-пятьдесят. Когда баклажаны стали из лиловых коричневыми и сильно морщинистыми, вынимаем их из духовки и даем остыть. Затем разрезаем вдоль, ножичком снимаем мякоть со шкурки и сразу отправляем на сковородку. Затем берем один большой или два средних помидора, обдаем кипятком, сдираем шкурку и если у вас есть измельчитель или блендер, превращаем в пюре. Туда же отправляем одну крупную луковицу. Лук, если нет блендера, можно натереть на мелкой терке. И все это вываливаем в сковородку к баклажанам. Ставим на небольшой огонь и берем в руки дырчатую толкушку для пюре. Когда масса нагрелась, вливаем совсем немного растительного масла. И продолжаем толочь. Солим, кладем чайную ложку сахара и перемешиваем. Когда икра начинает пузыриться, снимаем с огня, даем остыть и едим. Правда, у меня эту икру не едят, а жрут. Жрите на здоровье!

Однако вернусь к Игорю Петровичу, с которым было связано много чудесных, незабываемых и смешных моментов в жизни. Как-то мы справляли папин юбилей. Было много гостей и вдруг неожиданно явился Игорь Петрович. Свалился как снег на голову. Вообще папа не был сторонником подобных сюрпризов. Но это же Изя! Изе можно! Папа был в восторге. Изя привез ему в подарок купленный на одесском толчке роскошный пуловер, который был немедленно надет, оказался к лицу и впору. А нам с мамой Изя привез наше любимое лакомство — целый мешок «конского зуба». Кто не знает, что это такое? Семечки, дивные крупные полосатые семечки! Гости разом забыли обо всех угощениях и принялись упоенно лузгать семечки. Папа это ненавидел еще со времен военного коммунизма, когда матросня залузгивала семечками все культурное наследие проклятого царизма. Он, конечно, негодовал, но поскольку это безобразие устроил Изя, то все были прощены!

Другой случай. Мы тогда жили на Самотечном бульваре в квартире на высоком первом этаже. Приходим как-то мы с мамой домой, вдруг кто-то звонит в дверь. Открываю. Игорь Петрович! Как, что, откуда? Не входя в квартиру, он требует:

— Солнце, дай стул!

— Вам плохо? — пугаюсь я. Этот веселый и шумный человек не отличался крепким здоровьем.

— Мне уже хорошо! Дай стул!

Даю стул. Он ставит его перед дверью подъезда, взбирается на него, разгребает кучу мусора, наваленного на полке над дверью, достает оттуда гигантскую круглую коробку и с торжеством протягивает маме.

— Господи, Игорь Петрович, что это? — пугается мама.

— Это Циля утром испекла вам сметанный торт! Я приехал прямо из Внукова, а вас как назло никого нет дома! Куда мне деваться с этой коробкой? Вот я и пристроил ее. Думаю, среди этого хлама ее никто не заметит! А торт вышел знатный!

Торт и впрямь получился неправдоподобный, но мне такие кондитерские шедевры не по силам. Между прочим, в Одессе на улице громогласный Игорь Петрович звал жену Фросей, «чтобы не дразнить антисемитов».

Игорь Петрович и папа умерли в один год. А с его сыном Петей, ныне успешным американским бизнесменом и его очаровательной женой Ланой я дружу по сей день. В «минуты жизни трудные» он не раз приходил мне на помощь, и я никогда этого не забуду. Я упоминала об этой семье в книге «Курица в полете» и с огромной нежностью отношусь к Одессе именно благодаря Гейберам.

Кстати, Лана когда-то в Вильнюсе, где они жили, практически выброшенные из Одессы за желание эмигрировать, научила меня готовить еще одно блюдо из баклажан.

Нарезаем баклажаны некрупными кубиками вместе с кожицей. Жарим много лука, когда зарумянится, кладем туда баклажаны и, помешивая, жарим до готовности, добавляем сметану и некоторое время тушим. Вкусно, просто, дешево! Можно посыпать кинзой, не помешает. Возможно, Ланка и стала бы хорошей кулинаркой, но ей было некогда. Зато она стала прекрасным врачом, одной из первых сдавшей пресловутые врачебные экзамены в Калифорнии. Про нее в среде эмигрантов Лос-Анджелеса говорили: «Вон видишь эту красавицу? Это та самая Лана, которая сдала экзамены на доктора!».

Доктор Баренблат и другие

Я довольно рано начала готовить и вовсе не из любви к кулинарному искусству, а от суровой необходимости. Мама заболела брюшным тифом. Услышав этот диагноз, я чуть не померла со страху. Для меня тиф был сродни чуме, холере, желтой лихорадке. Однако удивительный доктор Баренблат, поставивший этот экзотический по тем временам диагноз, заявил:

— Ничего страшного, Катенька. Мама будет болеть дома. Что ей нужно? Антибиотики вот по этой схеме, строжайшая диета без малейших послаблений. И гигиена! Туалет мыть хлоркой. Вам с папой пить бактериофаг и через три месяца Наталия Семеновна сможет уже есть жареные гвозди!

Положим, жареные гвозди мама смогла есть примерно через полгода, но зато я многому научилась. Диета была и впрямь строгая — все только вареное, протертое, курицу и мясо надо было дважды пропустить через мясорубку и так далее. Сперва я была в панике, я почти ничего не умела, но вскоре всему научилась, а потом мне уже самой стало интересно. Кстати, надо рассказать и о докторе. Это была весьма примечательная фигура. Он умудрился сесть в тюрьму по доносу уже в хрущевскую оттепель. За анекдоты! Разумеется, он и на зоне был врачом, так что о лагерной жизни вспоминал только с усмешкой. Отсидев года два-три, точно я не помню, он не мог вернуться в Москву, жил в Александрове, а в Москву только наезжал. С женой он расстался, в Москве пристанищем ему служила квартира его друзей, которые взяли на себя еще и труд быть его секретарями. Если пациенту надо было связаться с Исааком Григорьевичем, он звонил этим людям, те все аккуратно записывали и передавали доктору, когда тот появлялся. Помню, он ходил в коричневом потертом кожаном пальто, с потрепанным огромным портфелем, лысый как бильярдный шар, очень некрасивый, но стоило ему войти, как все в доме сразу успокаивались, чем бы кто ни заболел. Впервые он появился в нашем доме из-за меня. На меня напала странная хворь — по несколько месяцев держалась высокая температура. Меня затаскали по врачам, каких только абсурдных диагнозов не ставили, и лишь Исаак Григорьевич разобрался в чем дело — в результате перенесенной инфекции произошло расстройство терморегуляции. И он меня вылечил.

Мама всегда кормила его обедом, он подолгу у нас сидел и говорил, не закрывая рта. Уходя, он еще час стоял в пальто в прихожей, но наконец произносил сакраментальную фразу: «Врач нужен больному как воздух, но если воздух входит и не выходит, больной умирает!». И с этим удалялся.

Итак, мама лежала с тифом, мы с папой плясали вокруг нее, а поскольку до Баренблата мы вызывали врача из поликлиники Литфонда, то эта дама, определившая у мамы просто расстройство желудка, при повторном визите пожурила ее:

— Наталия Семеновна, ну стоит ли из-за легкого колита укладываться в постель? Конечно, очень трогательно, что семья так за вами ухаживает...

Мама не выдержала:

— А знаете, есть предположение, что это брюшной тиф!

— Ха-ха-ха! Какая глупость! Кто это сказал? Брюшной тиф можно определить только в стационаре! Просто смешно!

С этим она удалилась. Но у мамы была подруга Татьяна Аркадьевна Смолянская, которая усомнилась в диагнозе Баренблата и потребовала, чтобы ее дочь Наташа, работавшая в Мечниковском институте, все-таки сделала анализ. Мама спросила Баренблата, надо ли его делать, на что тот обиженно сказал:

— Мне — не надо, если вам надо — делайте!

Был сделан посев, и диагноз подтвердился!

— Исаак Григорьевич, ну как вы догадались, что это тиф? — наивно спросила мама.

— Голубушка, я ведь врач, а не главврач! Я в Гражданскую работал в тифозных бараках!

К счастью, вскоре Исаак Григорьевич вернулся в Москву, купил квартиру, женился на хорошей женщине. Помню как-то под Новый год,

«Врач нужен больному как воздух, но если воздух входит и не выходит, больной умирает!».

Если у вас есть выдержка, терпение и люди, ради которых вы готовы на жертвы, попробуйте и любовь друзей и знакомых вам обеспечена!

в начале шестидесятых, Москву как метлой вымели, в магазинах вдруг ничего не стало! Вообще! Это продолжалось не долго, но выпало как раз на Новый год. У нас в доме как-то ничего не было, а пришедший тридцатого Исаак Григорьевич вдруг как дед Мороз достал из своего портфеля большущий кусок красной рыбы, не семги, конечно, кеты. То-то было радости!

Исаак Григорьевич всегда выписывал очень много лекарств. Если его спрашивали, зачем столько, он говорил:

— Я лечу не болезнь, а человека. Вот это средство хорошее, сильное, оно поможет, но у него есть побочные действия, так что эти два призваны побочные действия нейтрализовать, вот так-то!

Он был не только прекрасным врачом, но и очень широко образованным человеком, но, например, в кино ходил только на комедии. Помню, я удивлялась:

— Как, вы не видели «Пепел и алмаз»? Это же гениальный фильм!

— Катенька, я слишком много страшного повидал на своем веку, с меня хватит. Я вообще хочу посмотреть только один фильм, если случайно у вас есть знакомые в Госфильмофонде...

Это были «Унесенные ветром», о которых я и не слыхивала тогда. Не знаю, удалось ли ему увидеть эту картину.

Так мы жили.

Вспоминаю этого человека с огромной нежностью и благодарностью.

Таким образом я научилась готовить. И делала те блюда, на которые у мамы просто не хватало терпения. К примеру: вареники с вишнями, я как каторжная лепила их каждое лето для компании своих друзей. Они просто этого требовали, пока я не села на диабетическую диету и не заявила, что таким страданиям подвергать себя не намерена — возиться с варениками и не съесть их? Нет уж, не такая я альтруистка. Им пришлось смириться!

Если у вас есть выдержка, терпение и люди, ради которых вы готовы на жертвы, попробуйте и любовь друзей и знакомых вам обеспечена!

Итак, берем вишню, лучше всего «владимирку», главное, она должна быть темной, ставим себе приятную музычку и, помолясь, начинаем чистить вишню. Если нет под рукой специальной штучки для чистки вишен, можно воспользоваться шпилькой или обратным концом английской булавки. Вишню кладем в дуршлаг, поставленный на кастрюлю или миску, чтобы стекал сок, а косточки кидаем в другую кастрюльку. Закончив процесс, первым делом вымойте руки, иначе долго не отмоете. Чистить вишни в перчатках у меня лично не получалось, но попробуйте. Итак, засыпаем вишню сахаром, накрываем крышкой, что-

бы мухи не лакомились, а в кастрюлю с косточками наливаем воду и ставим на огонь. Когда вода закипит, кладем сахар по вкусу, чтобы сок был сладким, но не чересчур. Процеживаем, переливаем в красивый кувшинчик, даем остыть и в холодильник! Ах да, я забыла, что сок, стекающий с вишен, надо тоже туда добавить. Часа через два-три, когда сок от вишен стечет, делаем тесто. Обычное тесто, как для пельменей, только советую для эластичности добавить туда сливок! Раскатываем тесто очень тонко, нарезаем кружочками и лепим вареники. Ставим на огонь большую кастрюлю с подсоленной водой. Когда закипит, бросаем туда вареники, но не помногу, чтобы они там не теснились, варим минутки две-три, шумовкой вынимаем и раскладываем на плоских блюдах. Можно горячие вареники чуть-чуть смазать растопленным маслом, чтобы не слипались.

Но это не обязательно. Как только вареники чуть остыли, накрываем их полотенцем. И забываем о них до прихода гостей. Есть эту роскошь следует так: в глубокую тарелку кладем вареники, сверху сметану, посыпаем сахаром и заливаем соком из косточек. Гарантирую, как нынче говорят, отвал башки!

И уж если речь зашла о варениках, рекомендую еще одно блюдо моего детства — вареники с гречневой кашей. Все то же самое, только вместо вишен хорошо сваренная и сдобренная сливочным маслом гречневая каша. Эти вареники подаются горячими, поливаются растопленным маслом. Если не доели, потом можно поджарить их на сковородке. Очень вкусно и совсем дешево!

Одним из самых обворожительных людей, которых я знала, был Генрих Густавович Нейгауз, знаменитый пианист, великий педагог, среди учеников которого достаточно назвать Святослава Рихтера, Эмиля Гилельса, Веру Горностаеву, Владимира Крайнева и многих-многих других.

Совсем небольшого роста, с великолепной седой шевелюрой, чуть желтоватыми прокуренными усами, он являл собой воплощение европейского изящества и галантности. Вместе с женой Сильвией Федоровной, плохо говорившей по-русски, несмотря на три десятилетия прожитые в России, он бывал у нас в доме, с большим удовольствием ел мамины блюда и слегка капризным, но очаровательным тоном укорял жену:

— Сильвия Федоровна, почему у Таты всегда все так вкусно, а у вас... увы-увы-увы!

Сильвия Федоровна не обижалась, она и сама знала, что несильна в кулинарии.

Генрих Густавович любил вспоминать, как в самом начале войны его выпустили из тюрьмы, где ему безнадежно испортили руки — он еще играл потом, но уже не так, — он позвонил маме и она, сама курящая, отнесла ему свой запас папирос и какую-то еду. Эти папиросы растрогали его безмерно. Видно, не так много людей решились встретиться с ним тогда.

Однажды, возвращаясь домой после концерта его сына, великолепного пианиста и немыслимого красавца Стасика Нейгауза, мы втроем — Генрих Густавович, папа и я, семнадцатилетняя, спустились в метро. Генриху Густавовичу было тогда уже за семьдесят. В вагоне освободилось одно место.

— Генрих Густавович, садитесь! — обрадовалась я.

— Нет уж, голубушка, это вы садитесь, я как-никак мужчина, я постою!

Когда сейчас я, пожилая дама, вхожу к некоторым издателям, никто даже не приподнимет зад. Они, за редчайшим исключением, просто про это не слыхали.

С другом Петей в Малибу.

А Стасик Нейгауз — целая страничка в моей юности. Мы познакомились, когда мне было лет пятнадцать. А родители знали его с детства. Все началось с трагикомического эпизода. Зинаида Николаевна Пастернак попросила папу привезти меня в Переделкино на Пасху, чтобы познакомить с ее сыном Леней. Все-таки дочка друга дома... Меня привезли. Лене было года двадцать три, наверное, и он на меня даже не взглянул, зачем ему пятнадцатилетняя девчонка? Зато Стасик, его старший брат по матери, как теперь говорят, сразу положил на меня глаз. Как ни была я тогда наивна и неискушена, но поняла, что понравилась ему. Мне это было лестно. За столом он сел рядом и стал за мной ухаживать. Я смущалась безмерно, тем более, что там же находилась и его беременная жена. На столе было много всяких яств, Зинаида Николаевна славилась как прекрасная хозяйка. И первым делом подали ее гордость — татарский пирог. Я взяла в рот кусочек этого пирога и поняла, что погибла — начинка была из жирнющей баранины, а вернее, из бараньего жира. Проглотить это я не могла, но и выплюнуть тоже. И тут Стасик пришел мне на помощь. Он все понял, налил мне большой бокал красного вина и шепнул:

— Выпейте и прополощите рот!

Он меня спас! Я проглотила этот ужас.

— Я тоже ненавижу этот пирог, — прошептал Стасик и заговорщицки мне подмигнул, преодолев тем самым почти двадцатилетнюю разницу в возрасте. Мне стало с ним легко.

Через несколько лет, в год смерти Зинаиды Николаевны, Стасик и Леня просили моих родителей пожить летом на даче, в маленьком доме, и у нас со Стасиком возник роман, вполне тургеневский, платонический, однако наделавший много переполоха в нашем окружении. Папина сестра Ирина Николаевна, была замужем за родным братом Бориса Леонидовича, и будучи дамой весьма строгих правил, всячески старалась не допустить развития романа, что ей вполне удалось. Начались сплетни, пересуды, Стасик в результате ушел в очередной запой и на этом, собственно, роман и кончился. Однако до самой его смерти, несмотря на его довольно бурную жизнь и беспрецедентный успех у дам, всякий раз встречаясь со Стасиком я чувствовала, что он ко мне по-прежнему относится с огромной нежностью. И я то-

Под гигантской секвойей.

же вспоминаю его именно с этим чувством. Но в процессе этого романа я стремилась поразить его воображение еще и своими кулинарными подвигами. Особенно он любил мой яблочный струдель. И хотя это довольно канительное дело, я не ленилась ради него печь эти струдели. Расскажу, как это делается.

Что нам нужно? Полкило муки, три столовые ложки растительного масла, чайная ложка соли и стакан теплой воды.

Муку лучше просеять, уложить горкой, сделать в горке кратер, то бишь углубление, влить воду и масло, посолить. Замесить тесто, если оно окажется слишком крутым, можно добавить водички. Потом тесто хорошенько выбить об стол. Вот прямо берите его и колошматьте от души! А потом положите на тарелку и накройте теплой кастрюлей. Минут на десять. Тесто станет мягким и эластичным. Раскатайте его совсем тонко, потом разложите на посыпанном мукой столе, и очень осторожно растягивайте за края, чтобы оно *стало тонким, как папиросная бумага. Начинка делается так: яблоки, лучше всего антоновку, почистить, нарезать не слишком мелко, посыпать сахаром и сухарями. Тесто разделить на два листа. На каждый насыпать яблоки и скатать в рулет. Затем на смазанный маслом противень переложить оба рулета, предварительно сжав руками каждый, чтобы он стал покороче и покомпактнее. Смазать сверху крепким чаем. И в горячую духовку, пока не зарумянится. Проверить готовность, ткнув в горбушку спичкой, если ничего не прилипло, значит, струдель пропекся. Снять с противня на доску и посыпать сахарной пудрой. Впечатление незабываемое!*

Стасика обожали почти все, кто с ним соприкасался и, разумеется, все девушки влюблялись в него. Пом-

Но в процессе этого романа я стремилась поразить его воображение ещё и своими кулинарными подвигами.

ню, одна моя подруга приехала к нему на стажировку. Она была из другой республики. И я сказала ей:

— Смотри, только не влюбись в него!

— Уже! — горестно вздохнула она.

Допускаю, что многие из ныне здравствующих дам будут негодовать из-за того, что я пишу о нем в какой-то кулинарной связи, но ведь эта книга мемуарно-кулинарная, жанр обязывает, а не вспомнить такую яркую фигуру просто совесть не позволит. Я многое помню... например, как мы со Стасиком ездили по грибы, как играли в пинг-понг, и в бадминтон, как жарили шашлыки в Эстонии и меня поразило, что он своими вечно заклеенными разбитыми пальцами ловко орудовал шампурами и дровами, как внезапно, без звонка, заезжал к нам на Ломоносовский, как уехав на гастроли по Уралу, звонил из каждого города, помню как были напуганы всем этим мои родители, хоть оба обожали его... А я? Любила я его? Нет, я даже не была по-настоящему влюблена в него, просто мне, двадцатилетней дуре, льстило, безмерно льстило его отношение... Во всяком случае я никогда не жалела, что роман наш не получил развития, ничего хорошего из этого бы не вышло. Но зато у меня осталось множество самых теплых воспоминаний о нем, и портрет Стасика всегда висит у меня в комнате.

*Встреча
с читателями
в Америке.*

Пока я не перешла к другой странице своей жизни, вспомню один забавный рассказ Стасика о Сильвии

Федоровне. Она сидела на террасе пастернаковской дачи и кормила с ложечки маленькую дочку Лени. Та ела, не сводя глаз со Стасика, который ее очень любил. И когда в очередной раз ложка попала ей в рот, Стасик произнес: «Ам!».

— Вас ист дас «Ам»? — осведомилась Сильвия Федоровна. Она была родом из Швейцарии, ее привез в Советский Союз известный дирижер Аносов, но вскоре Генрих Густавович отбил ее у дирижера, и прожил с нею до самой смерти. А так как он превосходно говорил по-немецки, а Сильвия Федоровна, видимо, была не слишком одарена лингвистически, то после многих десятилетий спрашивала: «Вас ист дас "Ам?"».

В уже несуществующем магазине «Эксли́брис» (Тель-Авив).

Грузинские мотивы

Кстати, благодаря Стасику в моей жизни открылась новая страница — грузинская. Впервые вся наша семья попала в Грузию, нет, не в Грузию, а именно в Тбилиси, благодаря Стасику. Нас пригласила туда его подруга детства Нита Табидзе, дочь знаменитого поэта Тициана Табидзе, погибшего в сталинских застенках. Мы остановились в ее огромной квартире на улице Гогебашвили и в полной мере познали прелести грузинского гостеприимства. С тех пор я горячо люблю Грузию и грузинскую кухню, хотя сама Нита вообще, по-моему, не умела готовить. Женщина сказочной доброты и широты сердца, она за несколько лет до нашего приезда буквально подобрала на улице русскую женщину, Клавдию Ивановну. Нита как раз родила дочку Ниночку и отчаянно нуждалась в няньке. Клавдия Ивановна растила Ниночку, вела весь дом, но постепенно как-то выяснилось, что она бывшая уголовница. Однако ее преданность ребенку и всей семье не позволила Ните сделать какие-то выводы. Если я не ошибаюсь, прошлое Клавдии Ивановны все-таки в какой-то момент сказалось и им пришлось расстаться. Но я запомнила ее эдакой сноровистой и весьма рачительной хозяйкой, впол-

— Катя!
Мы забыли
положить тебе
курицу! —
трагическим
голосом
возвестила
Вероника
Ивановна. —
Как ты, детка,
ты здорова?
— Господи, тетя
Вероника, там
было столько
всего...
— Нет, я никогда
себе этого не
прощу! Я отдала
к чертям эту
курицу!
Не могла ее есть,
зная, что ребенок
голодный!

не освоившей грузинскую кухню. Мне еще посчастливилось застать ту, старую, грузинскую интеллигенцию, этих поразительных грузинских женщин, показанных в гениальном «Покаянии» Тенгиза Абуладзе. Среди них особенно запомнилась Этери Какабадзе, вдова замечательного художника Давида Какабадзе. Удивительно красивая, тонкая, умная, образованная. Потом я неоднократно бывала в Тбилиси, у меня до сих пор есть там подруги. Мы в силу многих известных обстоятельств видимся крайне редко, но всегда встречаемся так, словно нас не разделяют годы и границы.

Как-то в новогоднюю ночь в доме Пастернаков я увидела дивной красоты девушку, ее лицо напоминало персидскую миниатюру. Из сверстников там была только она, и мы подружились с первого взгляда. Ее звали Тамрико, и приехала она в Москву учиться музыке. А в дом Пастернаков ее привезла все та же Нита.

Потом, бывая в Тбилиси, я всегда останавливалась у Тамрико и обожала ее маму, Веронику Ивановну, урожденную Туманишвили. Тамрико всегда была и осталась слегка томной, не слишком собранной, а тетя Вероника отличалась бурным темпераментом. Помню, как-то отец Тамрико, чудесный Георгий Николаевич, Гоглик, сказал мне:

— Катико, пожалуйста, сходи с Вероникой на базар, я боюсь после болезни отпускать ее одну, и следи, чтобы она там не устраивала революцию!

Тетя Вероника и в самом деле пыталась все время «качать права», а я говорила:

— Вероника Ивановна, Георгий Николаевич не велел устраивать революцию!

Обладавшая прекрасным чувством юмора, Вероника Ивановна сперва злилась, но потом начала хохотать. Она была очень красива, говорят, в юности ее называли «черная лилия Тбилиси». И она потрясающе готовила! Я кое-чему у нее научилась, но вот ее шедевр «соус ткемали» я даже не пыталась освоить. В те годы в Москве негде было взять все нужное для этой сказки. Помню, я на завтрак у них норовила есть просто лаваш с ткемали к великому возмущению тети Вероники...

Помню один забавный случай. Я приехала к ним в феврале, с тем, чтобы отметить день рождения Тамрико. Нам было лет по двадцать пять, а может меньше, да, вероятно, значительно меньше. Было приглашено много народу, заказали торт, огромный, неправдоподобно прекрасный, как на вид, так и на вкус, совершенно такой, как в том же «Покаянии». Мы с Тамрико поехали за ним на такси. Он не пролезал в дверь и нам его подали в окно. Как мы его впендюрили в такси, даже не помню. Вероника Ивановна и бабушка Тамрико напекли еще каких-то сладостей. Но вот с остальным угощением вышел конфуз. Из-за ужасной погоды, обледенелых дорог в горах, базар был просто пуст! А магазины в те годы в Тбилиси практически всегда были пусты. То есть сладостей оказалось навалом, а всего остального практически не было. Я тогда предложила сделать сухарики с сыром, о которых писала выше, Тамрико приготовила какую-то замазку из баночных сардин с майонезом и что-то еще в том же роде. В результате все несладкое смели в один миг, а сладости мы доедали много дней и уже смотреть на них не могли. Боже, как ругалась Вероника Ивановна, когда буквально на другой день лед стаял и базар наполнился товаром! Эта поездка закончилась тоже забавно. Мне в дорогу готовили кучу вкусностей и в том числе жареную курицу. На вокзале меня провожали друзья и подруги, все было мило и трогательно. Но когда в поезде — а ехали тогда почти двое суток — пришла пора поесть, я обнаружила все, кроме курицы. Пирожки, печенья и гора мандарин, так что с голоду помереть я никак не могла. Добравшись до дома, я, как и обещала, позвонила Тамрико.

— Катя! Мы забыли положить тебе курицу! — трагическим голосом возвестила Вероника Ивановна. — Как ты, детка, ты здорова?

— Господи, тетя Вероника, там было столько всего...

— Нет, я никогда себе этого не прощу! Я отдала к чертям эту курицу! Не могла ее есть, зная, что ребенок голодный!

А Манана, моя вторая тбилисская подруга, ныне ректор тамошней консерватории, рассказывала со смехом, что едва поезд отошел, как на перроне возникла запыхавшаяся бабушка Тамрико с криком: «Курица, мы забыли курицу! Как же девочка доедет до Москвы?».

Помню замечательную художницу Елену Авхледиани и уморительный рассказ о том, как она с делегацией ездила в ГДР. Их принимали в городе Карлмарксштадте на очень высоком уровне и на банкете после длинного, до ужаса скучного приема, кто-то провозгласил тост за Карла Маркса, как водилось в те годы, Елена довольно громко произнесла по-грузински страшное проклятие «Чтобы собака прыгнула ему на грудь!». Те, кто понял, чуть не умерли от смеха, но таких было человека три. У переводчика, милейшего Резо Каралашвили, который и рассказал эту историю, язык присох к гортани. Но он набрался храбрости и перевел: «Мы всегда свято чтим его память!».

А Гиви Долидзе, тогдашний министр культуры Грузии! Он был еще и закадычным другом Ниты. Красивый, с потрясающими голубыми глазами, излучавший доброту и радушие, он был просто влюблен в моего отца и устроил в честь его приезда безумный кутеж в загородном ресторане. Когда папа уже лыка не вязал и запросил у Гиви пощады, тот заявил: «Коля, так нельзя, не можешь пить, ладно, будем чокаться виноградинами!». И впрямь, они сидели, глядя друг на друга с обожанием и чокались крупными виноградинами. Два пожилых, толстых человека. Картина достойная кисти Пиросмани!

Гиви отличался бурным темпераментом. Говоря о какой-то чиновнице, он с гадливой гримасой произносил:

— Пойми, Коля, она даже не паршивая, она паршивенькая!

И все было понятно.

Ввиду чрезвычайного кулинарного консерватизма моей матери, грузинские блюда не приживались у нас в семье. Да и вообще в те годы это было еще не модно.

И впрямь, они сидели, глядя друг на друга с обожанием и чокались крупными виноградинами. Два пожилых, толстых человека. Картина достойная кисти Пиросмани!

Мода на еду тоже существует. Например, всякая зелень, которая впоследствии прочно осела на наших столах, в годы моей юности казалась чем-то весьма экзотическим. То есть укроп и петрушка, мелко нарезанные, подавались к столу, но чтобы веточками да букетиками — никогда! Помню, мне было лет семнадцать, и после какой-то болезни мама повезла меня в апреле в Сухуми. Там я впервые и наблюдала, как местные жители пучками поглощали кинзу, тархун и другие травы. Это казалось диким! Кинза своим запахом вообще напоминала о лесных клопах. А теперь я кладу кинзу в очень многие блюда. Моя закадычная подружка Оля Писаржевская вышла замуж за грека из Сухуми Толю Монастырева, студента режиссерского факультета ГИТИСа. Его сестра Алла научила Ольгу готовить многие грузинские и абхазские блюда, которые мне нравились чрезвычайно, и как-то на день своего рождения я купила на рынке разную зелень, редиску и красиво уложив все на тарелке, поставила на стол. И еще приготовила пхали. Мама, окинула этот стол весьма критическим взором и произнесла:

— Провинциальная сухумская кухня? Ну-ну!

Несмотря на свой блестящий ум и талант, мама была весьма буржуазна во многих житейских вопросах.

Приведу здесь рецепт первого освоенного мною и все-таки внедренного в наш дом «провинциального сухумского» блюда под названием «пхали». Нынче его подают во многих ресторанах, но частенько называют «зеленым лобио». В чем принципиальная разница, я не знаю.

Итак, берем зеленую стручковую фасоль, можно консервированную, можно замороженную. Поговорим здесь о консервированной. Фасоль отжимаем руками изо всех сил, чтобы осталось как можно меньше влаги, берем хороший пучок кинзы, полстакана очищенных грецких орехов и все это пропускаем через мясорубку. Очень мелко режем луковицу, добавляем чайную ложку аджики, непременно настоящей кавказской, а не той, что продают бабушки возле магазинов, и немного сухого белого вина. Вместо вина можно влить немножко лимонного или гранатового сока, кому что нравится. Уложить в вазочку и украсить гранатовыми зернышками.

А вот и еще одно блюдо, не помню уж у кого почерпнутое, но из той же серии: баклажаны с орехами.

Баклажаны не чистим и нарезаем продольными тонкими кусками. Жарим на растительном масле, на несильном огне, чтобы они стали мягкими, с некоторой прозрачностью. Важно не пересушить. Снимаем со сковородки и даем остыть. Готовим начинку: грецкие орехи пропускаем через мясорубку вместе с кинзой, очень мелко режем лук, можно добавить капельку аджики и что-то кисленькое, как в пхали. Хорошенько смешиваем, чайной ложечкой кладем на баклажан, сворачиваем рулетиком и блюдо готово. Что касается начинки, она может быть, собственно говоря, любой. Например, сыр с чесноком и зеленью, брынза с любыми дополнениями и так далее. Немного фантазии и успех обеспечен.

Кстати, одна забавная история: Ольгин муж, Толя Монастырев, в нашей далекой молодости приноровил-

«Пхали» от Екатерины Вильмонт
«Баклажаны с орехами» от Екатерины Вильмонт

ся ловко делать дома шашлык. Он сжигал в чугунке какие-то веточки, ставил чугунок на маленький огонь, а
сверху клал шампуры. Допускаю, что я могла что-то на-
путать с технологией, но суть не в том. Я так реклами-
ровала дома Толины шашлыки, что мама решила тоже
их попробовать. Толя пришел к нам, мама дала ему свой
любимый чугунок и ушла в комнату работать. Но что-то
у Толи не заладилось и дым из чугунка валил нешуто́ч-
ный, пришлось открыть балконную дверь. И вдруг раз-
дается звонок в дверь. Открываю, на пороге стоит
встревоженный поэт Ваншенкин, живший тремя эта-
жами выше.

— Катя, у вас пожар?

— Нет, — с достоинством ответила я, — мы готовим!

Шашлыки не удались, а чугунок был безнадежно
испорчен.

И еще несколько слов о Толе, талантливом телеви-
зионном режиссере и прелестном человеке, красавце и
неплохом кулинаре. Толя был родом из Сухуми и совершенно не выносил рыбу. Его начинало мутить при виде
любых рыбных продуктов. Однажды, будучи у нас, он
пошел за чем-то на кухню. И вдруг возвращается блед-
ный как полотно.

— Толя, что случилось?

— Там... Там голая рыба! — пролепетал он с непод-
ражаемой гримасой.

На кухне размораживалось филе для кошек.

Однако, как я уже писала, в годы моей юности в моде были совсем другие блюда. Тогда только стала попу-
лярной селедка под шубой, которая всем известна, или,

к примеру, рыба под майонезом. Недорогое и вкусное блюдо. Тогда мы готовили это из филе серебристого хека. Попробую вспомнить, давно не делала.

Итак, кусочки филе обвалять в муке, обжарить на растительном масле, уложить на блюдо, смазать, пока не остыли майонезом и сверху положить поджаренный лук, довольно много. Дать постоять, чтобы рыба пропиталась всем этим. Просто и вкусно. Во всяком случае, это блюдо всегда сметали. Сейчас никто почему-то его не готовит. Вышло из моды, наверное.

Но мало-помалу грузинская кухня все больше проникала в наши московские квартиры и зелень на столе перестала кого-либо удивлять. И в ресторанах появилось множество грузинских блюд, правда, сациви, в ресторанах, на мой взгляд и вкус готовят плохо. И, опять-таки на мой вкус, сациви лучше всех делает моя подруга Ольга Писаржевская. Сациви вообще штука тонкая. В ресторанах зачастую вместо грецких орехов кладут арахис! Это истинное кощунство, все равно что фаршированный судак или толстолобик! Фаршировать можно, конечно, все, что вздумается, но классика — это карп или щука! Так же обстоит и с орехами в сациви. О рыбе речь впереди. В некоторых домах в сациви еще добавляют ореховое масло. Не надо! Это лишнее. Приведу тут рецепт сациви, почерпнутый у Ольги.

Итак, курицу, лучше с рынка, отвариваем в воде без соли и специй. Затем режем на небольшие куски, обжариваем на сливочном масле и складываем в глубокую миску или супницу. Параллельно готовим соус из расчета литр бульона на одну курицу. Стакан очищенных грецких орехов пропускаем через мясорубку и так же поступаем с луковицей, добавляем к орехам и луку натертый зубчик чеснока, столовую ложку муки, две чайные ложки хмели-сунели и чайную ложку настоящей аджики, можно добавить щепотку шафрана для цвета. Все это хорошенько перемешиваем, осторожно добавляя тепловатый бульон из расчетного литра, все время помешивая. Разводить до получения однородной массы с консистенцией не слишком густой сметаны и вылить в кипящий остаток бульона, опять-таки помешивая. Когда закипит, снять с огня и залить этим соусом курицу. Остудить и поставить на сутки в прохладное место, а лучше в холодильник. Есть это следует с ломтем свежего лаваша.

Однажды в Германии, гостя у своей подруги Лианы, которая прекрасно готовит и всегда проявляет сугубое кулинарное любопытство, я приготовила сациви и, как положено, поставила в холодильник на сутки. Утром я уехала на полдня в Бонн, а когда вернулась, Лиана мне объявила, что сациви ей не понравилось. Я удивилась. Но потом выяснилось, что она его разогрела! Никогда не грейте сациви!

Впервые я гостила у Лианы в 1990 году, как раз когда в Москве не было ничего, кроме талонов. Помню,

Лиана поставила на стол какие-то коричневые мохнатые штучки.

— Что это такое? — удивилась я.

— Киви, — в свою очередь удивилась Лиана. — Ты что, никогда не видела киви?

— Никогда. А как это едят?

— О господи! — воскликнула Лиана и глаза ее наполнились слезами. — А авокадо ты пробовала?

— Никогда!

— Завтра я тебе куплю. А киви надо очистить...

Когда она разрезала киви, я вспомнила, что лет за десять до того, в случайно доставшемся мне вожделенном журнале «Бурда» увидела рекламу с изображением киви. И никто не мог мне сказать, что же это такое! Зачем детям галактики такая экзотика?

Когда я была у Лианы через четыре года, она продолжила мое кулинарное просвещение. И купила на ужин устриц. Я как-то не была к этому готова и немного

Лиана и я.

испугалась. Отказаться было неловко, это недешевая штука. Но устрицы мне понравились! У них вкус моря...

Кстати, Лиана научила меня есть красную икру со сметаной. Попробуйте вместо масла намазать хлеб сметаной, очень вкусно.

А в первый мой приезд в достославном 1990 году за завтраком, обильным и разнообразным, Лиана решила сварить себе яйцо всмятку, ей надоели деликатесы. И вдруг поймала мой исполненный тоски взгляд. Женщина очень чуткая, она спросила:

— Катя, ты хочешь яйцо?

— Очень! — с некоторым надрывом ответила я.

— У вас уже и яиц нет?

— Яйца бывают, но с сальмонеллой, приходится их варить сорок минут, а хочется всмятку!

— Господи помилуй! — простонала она.

В то время у меня был роман с одним сугубо засекреченным ракетчиком, которому выезд за границу был заказан раз и навсегда, и я решила хоть чуточку его порадовать — привезти ему заморских плодов, киви и авокадо. Хорошо помню выражение лица этого уже очень немолодого человека, игравшего весьма заметную роль в обороне советской империи, когда он увидел на столе эту буржуазную роскошь.

— А что это такое? — немного даже испуганно спросил он. — Это едят?

Любовь в эпоху перестройки

Этот роман, длившийся пять лет до самой его смерти, весь проходил на фоне раннеперестроечного дефицита, и тем не менее под знаком кулинарии. Он и вообще-то был не прочь вкусно поесть, а если учитывать тот факт, что дома его кормили невкусно, и еще он помногу месяцев проводил на полигоне в Капустином Яру, живя в гостинице и питаясь в основном консервами, то угодить ему было не очень сложно. Однако мне так нравилось его кормить, что я, движимая любовью, старалась как могла. Когда он уходил, прибегали мои подруги — доедать! Доедать-то они доедали, и с превеликим удовольствием, но тем не менее любили надо мной по этому поводу подшутить. «Катька, — говорила одна, — я тут узнала рецепт бланманже, хочешь, запиши». Другая говорила: «И когда он, наконец, вернется из своего Яра, а то давно ничего вкусного не ела!». Продукты в те годы были проблемой, как впрочем, и промтовары. Однажды мой любимый сказал, слегка смущаясь: «Катюша, мне неловко тебя об этом просить, но если вдруг тебе где-нибудь попадутся мужские носки...». Разумеется, я на следующий же день помчалась по магазинам и — о, чудо! — в одном наткнулась на огромную очередь за носками!

Я встала в длиннющий хвост и вся тряслась от страха, что мне не достанется этот дефицит. Но мое усердие было вознаграждено, и я купила десять пар довольно кошмарных носочно-чулочных изделий сугубо отечественного производства. Но как я была счастлива! Я спасла любимого от необходимости ходить в рваных носках! Он тоже был счастлив.

Летом восемьдесят девятого года я жила в доме творчества «Переделкино». Как-то после завтрака одна моя знакомая отвела меня в сторонку и прошептала: «Катя, поедемте в Одинцово. Мне сказали, что туда завезли импортные мужские рубашки! Поехали, а?». «Разумеется, поехали! — с превеликим энтузиазмом согласилась я. — Только никому не проболтайтесь!».

И мы поехали. И купили рубашки. Через две недели предстоял его день рождения, проблема подарка была решена с блеском. Ему так шла голубая кипрская рубашка!

В тот период я постоянно была озабочена тем, чтобы в доме было хоть что-то съестное. Еще бы, ведь он мог позвонить и сказать, что приедет через час или два. И я научилась мариновать баклажаны. Это была идеальная закуска. В случае непредвиденного визита эти баклажаны и горячая картошка могли спасти положение, не говоря уж о том, что это необыкновенно вкусно и может хоть всю зиму стоять в холодильнике.

«*Катюша,
мне неловко тебя
об этом просить,
но если вдруг
тебе где-нибудь
попадутся
мужские
носки...*»

И я научилась
мариновать
баклажаны.
Это была
идеальная закуска.

Что для этого нужно? Прежде всего большая эмалированная кастрюля. Затем надо сходить на рынок, купить баклажаны, красные и желтые перцы, много репчатого лука, можно и красного и зелени — петрушки, сельдерея и кинзы. Ну и чесноку, конечно. А постное масло и уксус, наверное, и так есть в каждом доме. Всю эту красоту надо хорошенько вымыть. Начнем с баклажанов. Отрежем хвостики и нарежем длинными не очень тонкими, но и не толстыми, кусками, обязательно со шкуркой. Сложим в какую-нибудь посуду и зальем соленым кипятком. Оставим на десять-пятнадцать минут, затем сольем воду. А пока они лежат в соленой воде — кстати, их можно продержать так и полчаса, ничего страшного, но зато за это время вы вполне успеете подготовить все необходимое. Первым делом нарежьте колечками очень много лука, нарежьте зелень и перцы, тоже лучше колечками, впрочем, это дело вкуса. И, главное, возь-

мите много чеснока и либо натрите на терке, либо выдавите с помощью давилки, чтобы получилась кашица. Этой кашицей натрите каждый кусок баклажана, даже не натрите, а намажьте. И уложите на слой лука в кастрюлю, которая сможет поместиться в холодильнике. Посыпьте сверху зеленью, положите слой перцев и все снова-здорово: лук, баклажаны, зелень, перцы и так, пока не заполните кастрюлю.

Приготовьте заправку: постное масло — две трети, и уксус — одна треть. Залейте ею баклажаны, чуть не доходя до верхней кромки. Накройте это большой тарелкой и положите сверху увесистый гнет. И поставьте все в прохладное темное место на трое суток. Но пока не в холодильник. А вот через три дня снимите гнет, закройте кастрюлю крышкой и ставьте в холодильник. Через две недели можете есть! Баклажаны из кастрюли очень хороши, но лук и перец, может быть, еще лучше!

В те же годы тотального дефицита, в магазине рядом с домом вдруг появилась сушеная зеленая фасоль. Она продавалась вразвес, стоила буквально какие-то копейки и я купила несколько килограммов. Правда, получился целый мешок, который занимал много места, но зато я горя не знала! Я делала из этой фасоли уже упоминавшееся пхали или, к примеру, отваривала ее, жарила лук, смешивала с фасолью, добавляла немного хмели-сунели, чуть-чуть аджики и томата. Получалось вполне вкусно и достаточно сытно. А уж если добавить еще немного поджаренного фарша, так и вовсе роскошь!

Советские помещики

Меня опять занесло далеко вперед. А посему надо вернуться назад. Не выдержав жизни в коммуналке, родители вступили в писательский дачный кооператив. Решили построить дом в Красной Пахре. Строительство длилось годы, прорабы проворовывались, их сажали, дело стопорилось, но в 1957 году мы, наконец, переехали в собственный кирпичный дом! Он был еще недостроен, но родители решили зимовать уже там. Многое приходилось достраивать и доделывать, денег постоянно не хватало, но желание вырваться из коммуналки было превыше всего. Чтобы купить хоть что-то нужное, приходилось покупать краденое. Помню мамины рассказы о добыче стройматериалов. К примеру, подъезжает она к магазину, где ничего нельзя купить, стоит возле нашей «победы». Мимо проходит мужик и заметив ее ищущий взгляд начинает отряхиваться: «Вот черт, весь в цементе вымазался!». Это означало, что у него есть цемент. Она незаметно кивает. Мужик садится к ней в машину и говорит, когда и куда ей подъехать. Один из таких продавцов, видимо, довольный тем, как она с ним расплатилась, сказал: «Ты вот что, ты меня держись, я все могу достать, я ночной сторож!».

Каких только историй не было связано с добычей стройматериалов. Во многих сельских магазинах можно было раздобыть, допустим, толь или дранку в обмен на куриные яйца. А где писателям брать яйца? Каждый исхитрялся как мог. Запомнилась одна смешная история, связанная с близкой маминой подругой очаровательной Татьяной Аркадьевной Смолянской, женой писателя Геннадия Фиша. Их дача была совсем близко от нашей. И как-то утром, Татьяна Аркадьевна, для меня всю жизнь «тетя Таня», вышла в кокетливом халатике из дома (они строили на участке еще маленький домик под названием «времянка» и позарез нужен был толь), подошла к рабочим и спросила у бригадира: «Скажите, у вас есть яйца?». «А как же!» — гоготнул он. Тетя Таня, как теперь говорят, не въехала. «А сколько?». «Сколько положено!» — ответил он под хохот бригады. И только тут до тети Тани дошло, что она сморозила... Отлично помню, как знаменитый поэт Павел Григорьевич Антокольский вышел на дорогу и просто перехватил машину, доставившую кому-то цемент. Скандал был нешуточный!

И вот мы переехали в Пахру. Боже, какой простор, какая воля после коммуналки. Правда, в школу приходилось ходить за два километра в военный городок на 36-й километр Старокалужского шоссе. По дороге на дачу мы проезжали деревни Коньково, Теплый Стан...

Большой дом, большой участок. Но пришла пора идти в школу, в четвертый класс. В сентябре это было даже приятно — идти пешком, но когда зарядили дожди... В поселке заасфальтирована была пока еще

«**С**удя по тому, что говорит Ваня, его родители тоже против советской власти». Взрослые, слышавшие это заявление одиннадцатилетней девицы, похолодели! А тетя Таня сказала маме: «Тата, самое страшное тут слово "тоже"!»

только одна улица, то есть собственно, шоссе, а вот что-бы дойти до шоссе требовались усилия поистине титанические. Почва в Пахре была глинистая и превратилась буквально в топь. Ходить можно было только в резиновых сапогах, да и то приходилось эти сапоги двумя руками вытаскивать из грязи. В результате мы делали так: мама провожала меня до шоссе, там я переобувалась, грязные сапоги мама забирала, а чистые я брала с собой и надевала их на обратном пути. И так, пока не наступила зима. Постоянным спутником у меня был ныне

Куко после посещения коровника.

знаменитый кинорежиссер Иван Дыховичный, тогда просто Ванька. Он был моложе меня на год, но общаться с ним было весело. Он всегда знал, что нынче в моде, несмотря на более чем юный возраст. Дочь Татьяны Аркадьевны Смолянской, моя нежно любимая подруга Наташа Фиш, вспоминает, что как-то я сказала: «Судя по тому, что говорит Ваня, его родители тоже против советской власти». Взрослые, слышавшие это заявление одиннадцатилетней девицы, похолодели! А тетя Таня сказала маме: «Тата, самое страшное тут слово "тоже"!».

Кстати, в ту первую зиму в Пахре на меня возложили весьма ответственную задачу — выгуливать беременную Наташу Фиш. Мне это льстило безмерно, еще бы — взрослая замужняя женщина гуляет под моим присмотром. Мы ходили в лес, беседовали чинноблагородно и, насколько я помню, нам обеим не было скучно.

Кстати, два забавных эпизода, связанных с Наташиным сыном Мишкой, которого я выгуливала еще, так сказать в утробе матери. В школе ему велели написать слово «герой» в дательном падеже. Он написал «По герою ползала муха». Казалось бы, все правильно, «герой» в дательном падеже, но в нашей галактике этого было недостаточно, родителей вызвали в школу и долго песочили за идеологическую незрелость восьмилетнего пацана. Тот же Мишка прославился среди знакомых тем, что спросил у матери, кто такие евреи.

— Это такой народ…— слегка растерялась Наташа.

— Народ? И где они живут?

— Везде, они рассеяны по всему миру…

— А в Москве они есть?

— Есть.

— А у нас на Полянке?

— И у нас на Полянке.

— Евреи? На Полянке? — несказанно удивился Миша Гальперин. В детском саду ему еще не успели объяснить, кто он такой.

С нами частенько ходила гулять и Альба, собака Фишей, гладкошерстный фокс, белый, с черными ушками, существо фантастического ума. Как-то Татьяна Аркадьевна сказала дочери: «Наташа, одевайся, идем к Вильмонтам». Подойдя к нашему дому, они обнаружили у крыльца Альбу. Она знала, куда идти. В другой раз мама сказала: «Наташа, зайди к нам, есть косточки для Альбы». Альба это услышала и прямым ходом направилась к нам. Создавалось впечатление, что она понимала каждое слово.

Школа в военном городке была хорошая, у меня появились новые подружки из офицерских семей. Помню, как-то осенью нам объявили, что в ближайшие дни занятий не будет, нас посылают убирать картошку. Конечно, ребятня была в восторге. Но боже, что это была за уборка! Каждому выделялась полоса топкой земли, из которой голыми руками надо было выбирать картошку, сил у нас было не так уж много, и если поначалу все старались, жаждали соревноваться, кто быстрее соберет, то через несколько часов мы выбивались из сил, и кто-то додумался, что если хочешь отличиться, лучше затаптывать картошку в грязь, иначе норму просто не выполнить.

В результате этих сельскохозяйственных работ многие из нас потом долго хворали. На мой взгляд в этом казусе как в капле воды отразились все провалы нашего сельского хозяйства. Кому в голову взбрело посылать такую мелюзгу в поле, давая норму наравне со старшеклассниками? Наверняка какому-то чиновнику из местных. Сколько картошки пропало, сколько учебных часов, не говоря уж о здоровье детей.

Я проучилась в Пахре два года — четвертый и пятый класс, а потом родители получили двухкомнатную квартиру в писательском доме на Ломоносовском проспекте. Боже, какая была радость! Мы приехали смотреть квартиру и чуть не рехнулись от счастья. Дом был

оборудован по финской технологии. Отопление в стенах, окна на винтах, а главное финская стенка в кухне. Раковина из нержавейки и белые шкафы! Просто чудо по тем временам! Стенка шла углом, а в углу были круглые вертящиеся полки.

Георг Отс.

— Катька, мы с тобой будем играть в аптеку! — возликовала мама.

В те годы в аптеках были круглые вертящиеся полки. Жизнь в этой квартире поначалу казалась чудом не только из-за финской кухни и белой ванной комнаты. В те годы, видимо, было сильное желание приблизиться к человеческим нормам жизни. Велось огромное жилищное строительство, и в новых районах была масса всяких нововведений. Например, из молочной напротив носили на дом молоко, кефир, сырки, из булочной — хлеб. Из диетического магазина у Калужской заставы возили заказы. Их доставлял импозантного вида мужчина по имени Петр Дмитрич. В эти заказы входили и яйца. Тогда диетические яйца высшей категории стоили рубль тридцать за коробку, а первой категории, мелкие, рубль девять. Мама терпеть не могла мелких яиц и потом еще в течение многих лет презрительно называла их «Петькины яйца». «Опять ты купила «Петькины яйца»!» — возмущалась она, к некоторой оторопи Пети Гейбера, который как-то услышал эту фразу. Однако благодать довольно быстро кончилась. Сначала перестали носить хлеб, потом молоко, а потом и Петр Дмитрич куда-то сгинул. Видимо, городские власти решили, что нечего баловать людей, чай не буржуи. Тогда как раз начиналась космическая эра.

Наш дом располагался рядом с кинотеатром «Прогресс», где ныне находится театр Джигарханяна. Билеты, особенно на дневные сеансы, стоили какие-то копейки и я бегала на все фильмы, которые там шли. Мне было лет двенадцать, не больше, когда я попала на фильм «Все о Еве» с потрясающей Бэтт Дэвис. Он меня буквально ошеломил, я смотрела его раз пять подряд. Посмотрев его вновь не так уж давно, я пришла к выводу, что у меня в двенадцать лет был уже неплохой вкус. Еще одним потрясением, правда, совсем иного рода, стал фильм с Марио Ланца «Любимец Нового Орлеана». Его я тоже видела множество раз. Но все рекорды побил «Мистер Икс» с Георгом Отсом. Мы с мамой обе в него влюбились. У нас в доме было много его пластинок, мы ходили на все его концерты и гастрольные спектакли. А потом нередко ездили в Таллин, в театр «Эстония». Это был поразительный артист, обладавший не только фантастическим по тембру голосом, великолепной внешностью и обаянием, но и настоящим драматическим талантом. Ему были подвластны все жанры, от легчайшей оперетки до глубоко трагических оперных партий, таких как Рене в «Бале-маскараде», Яго в «Отелло», Риго-

летто. А какой это был Онегин! А Демон! А «Дон Жуан»! А «Джанни Скикки!» На московских гастролях театра «Эстония» в 1972 году, в ту страшную иссушающую жару, я видела Отса в роли Кола Брюньона в опере Кабалевского. Его танец, когда Кола борется с чумой, до сих пор стоит у меня перед глазами. Тогда же я впервые услышала Отса в мюзикле «Человек из Ламанчи». Несмотря на все мыслимые в Советское время регалии, по-настоящему этот великий, без преувеличения, артист не был достаточно оценен, ибо позволял себе петь

Фаина Георгиевна Раневская с котом Куксом.

эстрадные песни. Многие его по этому поводу не считали серьезным артистом. К сожалению, эта ханжеская точка зрения на легкие жанры сохраняется и по сей день, чего бы это ни касалось. Сколько презрительного фырканья я слышала по поводу, например, Владимира Спивакова, который не всегда убийственно серьезен за пультом. Таких примеров множество. Но речь не о том.

В самом начале шестидесятых родители наконец продали дачу в Пахре, у них попросту не было денег со-

держать этот дом в советских условиях. И сбагрив непосильную ношу, сняли на лето дом в местечке Высу в Эстонии. Помню, как-то ночью мама разбудила меня: «Помоги отодвинуть кровать, крыша протекла!».

Кровать была отодвинута, под течь поставлен таз. Мама улеглась и с наслаждением проговорила: «Какое счастье, что это съемный дом! Утром скажу хозяевам, что крыша течет и все!».

Мы жили на этой даче несколько лет, дом был большой и там у нас бывали самые разные гости. Однажды жила месяц и Нина Станиславовна Сухоцкая, о которой я писала выше, а в соседнем доме была снята комната для ее подруги Фаины Георгиевны Раневской, которая столоваться ходила к нам. Она была остроумна, в этом нет сомнений, бесконечно талантлива, и так же бесконечно одинока и несчастна. Все так, как пишут в многочисленных благостных воспоминаниях. Но у меня, шестнадцатилетней девочки, осталось от нее и другое впечатление. Она бывала чудовищно бестактна и деспотична, особенно в отношении Нины Станиславовны. И это чувствовали все в доме. Помню смешной случай. Фаина Георгиевна панически боялась мышей. В домах у эстонцев мышей не водилось, но наш кот Кукс с восторгом охотился на полевок и, конечно же,

Кровать была отодвинута, под течь поставлен таз. Мама улеглась и с наслаждением проговорила: «Какое счастье, что это съемный дом! Утром скажу хозяевам, что крыша течет и все!».

с превеликой гордостью приносил в дом свои трофеи. Как-то после очередной бестактности Фаины Георгиевны, мы сидели на террасе за обедом и вдруг увидели, что к крыльцу бежит Кукс с добычей в зубах. Обычно в таких случаях мы его гоняли, но тут по молчаливому согласию промолчали. Крику было! Может и нехорошо по отношению к великой артистке, но что сделаешь, так оно было! А в довершение всего Фаина Георгиевна сманила нашу домработницу. Правда, та выдержала каких-нибудь два месяца и вернулась к нам в слезах раскаяния. «Я думала, она такая знаменитая, а она меня за человека не считала!».

«Три полуграции» — кино.

Живал у нас и Олег Чухонцев, с которым папа познакомился в Ялте. Он вернулся оттуда с каким-то молодым человеком и сказал, что это необыкновенно талантливый поэт. Мы все с ним подружились, и он любил нашу семью. Мы много шутили, смеялись, гуляли. Как-то в лесу нас застиг дождик. Олег тут же выдал экспромт: «Мы гуляли по лесу без зонтика, я и Катя, Вильмонт и Вильмонтиха». У меня с Олегом связано одно из самых прекрасных воспоминаний в жизни. Мы с ним ходили по грибы. Я написала об этом случае в романе «Хочу бабу на роликах!», поэтому не буду повторяться. Скажу только, что когда мы с ним приперли это немыслимое количество грибов домой, мама в ужасе всплеснула руками и смачно выругалась. Всю эту массу надо же было чистить! И хотя мы оделили грибами всех знакомых, но работы все равно было много!

Приезжала к нам и моя любимая школьная подруга Галя Филимонова. А Высу, надо заметить, находился в пограничной зоне, и чтобы там спокойно жить, надо было получить разрешение. Поскольку мы уезжали туда на все лето, то естественно, у нас такие разрешения были, а вот у наших гостей, которые приезжали иной раз на недельку, не всегда. Проехать в поселок ничего не стоило, но иногда пограничники ходили по домам с проверкой. И вот как-то вечером, сидим мы на террасе пьем чай, с нами Олег и Галя. Вдруг появляется хозяйка: «Пограничники идут!». Олег с Галей хватают свои чашки и бегут в огород, прятаться. Галя до сих пор вспоминает, как сидела на корточках под кустом красной смородины с чашкой в руках и давилась от нервного смеха.

В Высу была совсем иная жизнь. Эстония всегда славилась своими молочными продуктами. Даже те, что продавались в магазинах, были отменного качества, а нас, по протекции хозяйки, снабжал молочными продуктами один хуторянин. Он привозил сливки в пол-литровых банках, закрепленных на багажнике велосипеда. Вы можете представить себе, какой густоты были эти сливки? Банки закрывались просто бумажкой с ниточкой, пластиковых

Три полуграции на Майорке. С Олей и Галей.

крышек тогда еще не появилось. Сливки были настолько жирными, что стоило два-три раза ударить вилкой, они сбивались в масло! И как-то мама не без робости сказала хуторянину: «А нельзя ли, чтобы сливки были пожиже?». Он посмотрел на нее, как на полнейшую идиотку и сказал:

— Почему, можно! Просто буду не три раза пропускать их через сепаратор, а два.

— А если только один раз? — промямлила мама.

— Нельзя! — отрезал он. — Говно будет!

Еще кто-то возил нам свежекопченую рыбу. Салаку, кильки, камбалу, иногда угрей. Это была сказка! В дождливые вечера нередко покупалась бутылка водки, и все с наслаждением выпивали под картошку с селедкой, под грибы или копченую рыбку. А потом играли в карты, во что-нибудь сугубо примитивное, вроде «девятки» или «козла». Мы с Галкой особенно любили «козла». Там иг-

Три полуграции — израильский вариант. С Любой и Милой.

рают двое надвое. Мы с ней всегда играли в паре и у нас была разработана своя сигнализация, разумеется мы выигрывали и очень часто, что совершенно выводило из себя Олега, но поймать нас никому так и не удалось. Олег вообще был чрезвычайно азартен. Помню, он как-то играл с мамой в пинг-понг, и она его обыграла.

— Олег, и не стыдно проигрывать пенсионерке? — смеялась она.

Он злился ужасно и отвечал:

— Ну да, у вас совершенно хамская подача!

Однажды к нам на несколько часов заехали на машине Тарковские, Арсений Александрович и Татьяна Алексеевна. Этот их визит запомнился тем, что они показывали фокус. В коробочках популярных тогда сигарет «Шипка», имелась папиросная бумажка, которую Арсений Александрович складывал четырехгранником и поджигал. Четырехгранник взлетал в воздух! Конечно, всем тут же захотелось овладеть этим замечательным искусством. Но у нас «Шипку» не курили, а все запасы Тарковских быстро истощились. Они благополучно уехали в тот же день, а назавтра мама явилась из магазина с авоськой набитой коробочками «Шипки».

— Все равно я тут курю не то, что люблю, ничего, покурю «Шипку», но я должна научиться!

Мы все научились!

А папа, куривший обычно сигареты с фильтром, чтобы мама не одна страдала от «Шипки», завел себе мундштук, который окрестил «дудулькой», и с тех пор до самой смерти курил с «дудулькой» даже сигареты с фильтром. Дудульки менялись, конечно, но если она вдруг исчезала, то по дому разносились такие стоны и вопли, что все присутствующие кидались искать «дорогую пропажу».

Сейчас Высу вспоминается совершенной идиллией в старинном духе. Да так оно и было, по-видимому. Но никаких кулинарных приобретений, пожалуй, не помню. Разве что компот из ревеня. И пирог с ревенем.

Компот делается очень просто: чистим стебли ревеня, режем мелко, заливаем водой, ставим на огонь, когда закипит, добавляем сахар по вкусу и все дела! Очень приятное пойло!

А пирог? Раскатать любое пригодное для сладких пирогов тесто, можно песочное. Ревень, очищенный и нарезанный как для компота, сме-шать с сахаром, опять-таки по вкусу. Тесто выложить на противень или плоскую сковородку, сверху ревень, пирог может быть закрытым и открытым, по вашему желанию. Если пирог открытый, то можно доведя его до полуготовности, залить сверху взбитыми с сахаром белками и допечь. Очень вкусно!

У нас почему-то ревень встречается крайне редко, а в Эстонии он весьма популярен.

В 1967 году родители по ряду причин в Высу не поехали, но отправили туда меня. Знакомые сняли комнату и я поехала с Галей Филимоновой. Для нас обеих это была первая самостоятельная поездка, к тому же Галя впервые попала в Эстонию, это потом она стала часто приезжать к нам. А тогда мы с нею наслаждались свободой! Эта поездка кроме всего прочего запомнилась тем, что мы с ней, отнюдь не вокалистки, уходили далеко в лес и там предавались разгулу — громко пели дуэты и арии из опер и оперетт.

«Пирог с ревенем» от Екатерины Вильмонт

Петь на людях мы не смели, и правильно делали. Однажды на наши вопли из кустов выскочил испуганный пограничник. Мы здорово перетрусили — у нас не было пропусков в пограничную зону. Но юный воин так обрадовался, что мы не диверсанты и не шпионки — те не стали бы так голосить, это и козе было понятно, — а просто глупые молодые девки, что даже не спросил документов, а сказал: «Девчата, а чегой-то вы все какое-то ненормальное поете? Спели бы песенку, а?».

Но юный воин так обрадовался, что мы не диверсанты и не шпионки — те не стали бы так голосить, это и козе было понятно, — а просто глупые молодые девки, что даже не спросил документов, а сказал: «Девчата, а чегой-то вы все какое-то ненормальное поете? Спели бы песенку, а?».

Мы здорово смутились и, пробормотав что-то, помчались домой. Больше мы в лесу не пели. Но по сей день ездим вместе отдыхать, вот буквально на днях вернулись из Мюнхена, куда ездили встречать Новый год. Но неизменно со смехом вспоминаем наши лесные вокализы. Однако никаких рецептов, связанных с Галей, у меня нет. Она, как говорится, не по этому делу. Мы дружим с шестого класса, и я зову ее Гусей. Так вот, однажды в восьмидесятых годах Гуся почему-то решила приготовить гуся. Я была приглашена, тем более, что гусь готовился под моим телефонным руководством. Этот гусь у Гуси оказался для меня знаменательным — я встретилась там с тем самым ракетчиком, о котором писала выше, и у нас с ним было пять лет счастья. Пути Господни неисповедимы.

Однако жанр требует вернуться немного назад, к той самой домработнице, которую сманила Фаина Георгиевна Раневская. Это была отменная кулинарка и горькая пьяница. Держать в доме спиртные напитки было опасно. Однако человек она была хороший и я многому у нее научи-

лась. Взять, к примеру, десерты. Снежки, лимонное желе... Это было очень вкусно. Я потом часто это готовила, а теперь из-за диабета только с тоской вспоминаю. Поделюсь этими вкусными воспоминаниями с моими читателями. Итак, начнем с лимонного желе. Удивительно нежное, и я бы сказала, изящное блюдо.

Для начала замочим в стакане холодной воды тридцать граммов желатина и отставим в сторонку. Нальем в кастрюлю четыре стакана воды и поставим на огонь. Возьмем два больших лимона или три маленьких, разрежем пополам, выдавим сок в стаканчик. Когда вода согреется, положим в нее три четверти стакана песка, сахарного, разумеется. Когда вода закипит, бросим туда цедру, то бишь пустые половинки выжатых лимонов и прокипятим. Затем выкинем ненужную цедру, снимем кастрюльку с огня и вольем сок из стаканчика. Пока мы все это делали, желатин уже разбух. Ставим кружку с разбухшим желатином на водяную баню. Кто-то, вероятно, думает что это сложно. Ничего подобного, проще пареной репы. Наливаете в ковшик немного воды, ставите на несильный огонь,

в ковшик ставите кружку с желатином (удобнее всего замачивать желатин в эмалированной кружке) и все время мешаете ложкой, пока желатин не распустится. Когда у вас получилась однородная жидкость без комочков, вливаете ее в воду с сахаром и лимоном. Желе практически готово. Когда оно немного остыло, вы разливаете его по формочкам через тонкое ситечко или марлечку, остужаете и ставите в холодильник. Через несколько часов восхитительный десерт готов. Можно подавать просто так, можно добавить взбитых сливок, не помешает. В желе можно заливать для красоты какие-нибудь фрукты или ягоды, получается здорово, но только не киви и не ананас — желе просто не застынет, а уж почему, понятия не имею, но я один раз попробовала и меня ждало фиаско. А потом я где-

то прочла, что киви и желатин две вещи несовместные, как гений и злодейство. Приготовление лимонного желе в свое время занимало у меня ровно пятнадцать минут. Правда, желатин иной раз не успевает разбухнуть за это время. Замочите его минут за сорок или за час до готовки, несложно, ей богу. Кстати, желатин в свое время был в Москве величайшей редкостью, и я возила его тоже из Таллина.

А снежки... Слюнки текут при одном воспоминании.

Берем шесть яиц, желательно из холодильника, отделяем желтки от белков и начинаем взбивать белки со столовой ложкой сахара. И непременно до сахара добавьте в белки щепоточку соли, так легче взбивать. А тем временем поставьте на огонь широкую кастрюлю, лучше довольно плоскую, с литром молока, когда молоко закипит, убавьте огонь и чайной ложкой бросайте в кастрюлю белки так, чтобы получались довольно крупные хлопья, вернее комочки, впрочем, название значения не имеет. Когда белки сгустятся немного, шумовкой переложите на блюдо. Затем возьмите примерно полстакана сахару и начинайте растирать с желтками. Кто любит послаще, можно взять больше сахару, не страшно. Проделывать это лучше в неэмалированной посуде, чтобы не пригорало, когда поставите на плиту. А туда желтки надо ставить, когда вы начнете вливать оставшееся от белков молоко, непрерывно помешивая, можно венчиком, очень удобно. Кстати, в начале этого процесса можно к желткам добавить чайную ложечку крахмала, но это не обязательно. Итак, поме-

«Лимонное желе» от Екатерины Вильмонт (продолжение)
«Снежки» от Екатерины Вильмонт

шивая, нагреваем массу, но не доводим до кипения, затем снимаем с огня, добавляем по вкусу ваниль или ванилин и обязательно столовую ложку коньяка. Если по каким-то причинам коньяк вам не подходит, замените его тертой лимонной цедрой. Когда соус остынет, залейте им снежки на блюде. Вот и все. Да, кстати, соус для снежков точно в таком же исполнении можно использовать, например, для печеных яблок. Проделайте с яйцами все то же самое, из белков испеките безе, а соусом из желтков наполните или залейте печеную в духовке антоновку, вы же знаете, как ее печь, правда? И смело говорите гостям, что у вас на десерт антоновка с соусом сабайон, а к чаю безе. Слава хорошей хозяйки вам обеспечена!

Кстати, об антоновке — поистине бесценная штука для кулинарных шедевров. О пирогах и струделе я уже писала. Напишу уж заодно и о других рецептах. К примеру, пюре из антоновки. Нет ничего проще, легче и безотходнее.

Итак, берем антоновку, чистим, очистки складываем в большую кастрюлю, а яблоки режем некрупно, складываем в другую кастрюлю, заливаем водой так, чтобы вода не покрывала яблоки, а можно совсем немножко воды налить, если хотите пюре погуще. В отличие от других сортов яблок, антоновка разваривается моментально. Как только вода закипела, добавьте сахар по вкусу и снимайте с огня. Когда остынет, поставьте в холодильник. Это пюре приятно есть холодным, а можно и горячим, как гарнир, например, к жареной курице. Теперь займемся очистками. Зальем большим количеством воды, добавим опять-таки сахар по вкусу и немного покипятим. Затем процедим, остудим и с наслаждением будем пить ароматный вкусный ▶

морс. Впрочем, я не уверена, что этот восхитительный напиток можно назвать морсом. А с другой стороны, как ни назови, все вкусно! И очень освежает!

Антоновку, к примеру, можно и жарить, опять-таки как гарнир. Нарезать толстыми кусочками и пожарить на сливочном масле. Кайф! К тому же антоновка несказанно хороша для гуся, утки и даже курицы. Вы слыхали про утку с яблоками? А про курицу с яблоками? Не все слыхали, уверена. Но попробуйте начинить самую примитивную курицу антоновкой и зажарьте в духовке, как обычно. Получится просто праздник!

А моя мама пекла блинчики с антоновкой. Очень вкусно!

Режем яблоки кружочками без кожуры, делаем жидкое тесто, яйцо, вода и мука, хорошо разбалтываем, бросаем яблоки в это тесто и ложкой выкладываем каждый кусочек вместе с тестом на раскаленную сковородку с растительным маслом. Как только блинчики зарумянятся, снимаем со сковородки, кладем на тарелку и посыпаем сахаром. Есть их лучше горячими. Но и холодные блинчики очень вкусны, хотя они редко успевают остыть. Их просто сметают со стола!

Гимн антоновке я пропела, можно вернуться... К чему? Ведь у меня нет сюжета. А что это я увлеклась сладостями? Видно, комплекс диабетика, хоть на бумаге...

Лето в Эстонии — тоже целая эпоха в жизни, и, надо заметить, эпоха на удивление приятная. Как-то там не случалось ничего плохого — все были более или менее здоровы, по крайней мере, я ничего такого не пом-

ню. Зато масса забавных эпизодов, которые в этой книге куда уместнее печальных. Помню, как-то мы с мамой собрались ехать в районный город Раквере. Папа пошел провожать нас на автобусную остановку и встретил там Илью Львовича Фейнберга, знаменитого пушкиниста. Илья Львович был человек широко образованный, талантливый и папа любил с ним поговорить. Мы уехали. До Раквере езды на автобусе было минут сорок пять, там мы, разумеется, обошли магазины, заглянули на рынок, да еще и пообедали в ресторанчике, иными словами прошло много часов. Домой с покупками мы вернулись на такси. Папы дома не было. В то время у нас как раз жил Олег Чухонцев. Мы спросили его, где Николай Николаевич.

— А разве он с вами не уехал? — крайне удивился Олег.

Мы испугались.

— Он что, с тех пор не возвращался?

— Нет, — испугался и Олег.

Мы с ним побежали к автобусной остановке. Там все так же стояли папа и Фейнберг, по-прежнему державший его за пуговицу. Папа, судя по его виду, был близок к обмороку. И взглянул на нас как на спасителей.

Что ж поделаешь, встретились два литературоведа!

Поистине драматическая история произошла в Высу с нашей кошкой Китти. Это была весьма нервная особа каких-то голубых кровей. Мама купила ее на Палашевском рынке за пятерку. Мы ее обожали и к моменту, о котором я собираюсь поведать, ей исполнилось уже пятнадцать лет. Раньше, уезжая на лето, мы оставляли ее на даче у наших соседей, предполагая, что она не вынесет дороги в отличие от своего сына Кукса, который всегда путешествовал с нами. Однако в тот год, не помню уж по какой причине, соседи не могли ее взять, и ветеринар посоветовал дать кошке четверть таблетки снотворного. Лекарство подействовало, кошка мирно уснула и проснулась уже в Высу. Слегка пошатываясь после искусственного сна, она вышла в сад и... исчезла. Мы сбились с ног в поисках, бегали, кричали, звали, все напрасно.

— Она ушла умирать, старая ведь уже, — сказал кто-то. Как ни больно нам всем было, пришлось смириться.

Прошло больше двух месяцев, сезон кончился, народ разъезжался и нам тоже через два дня предстоял отъезд. И вот утром за завтраком я глянула в окно и лишилась дара речи. За заборчиком дачи напротив я увидела призрак.

— Что с тобой? — всполошилась мама.

— По-моему там Китти, — пролепетала я.

— Что за бред! — поморщился папа, решивший, что это бабские истерики.

Но при взгляде в окно родители тоже остолбенели. Китти сидела на чужом участке у забора и ждала. Надо заметить, что она пропадала не раз, но сама никогда не возвращалась, ее надо было искать, умолять и ловить, что мы немедля и сделали. Правда, на сей раз, она легко далась в руки. Вид у нее был странный. Кожа на груди

У всех тут же заработало воображение. Каково пришлось избалованной домашней кошке в лесу... По возвращении в Москву, выяснилось, что наша старушка еще и беременна!

— Вот старая блядь! — в сердцах заметил папа.

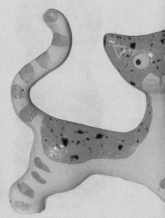

была совсем голая, шерстка, видимо, вылезла. И, конечно, она отощала, но в остальном все вроде было нормально! Мы ликовали. У всех тут же заработало воображение. Каково пришлось избалованной домашней кошке в лесу... По возвращении в Москву, выяснилось, что наша старушка еще и беременна!

— Вот старая блядь! — в сердцах заметил папа.

Прошло года два или три и мы переехали с Ломоносовского на Самотеку. Папа подобрал в Переделкине чудного пса по имени Лорд. Поначалу Китти была безмерно оскорблена. Но потом вроде бы привыкла. А однажды она исчезла. Мы там жили на первом этаже, и она ушла в форточку. Сколько мы ее ни искали, все было тщетно. Видимо, на сей раз она действительно ушла умирать.

На Самотеку мы переехали из двухкомнатной квартиры в трехкомнатную, просто поменялись с доплатой. Это произошло в семидесятом году. Мама с восторгом говорила — слава Богу, я вернулась в Москву! Рядом с нашим трехэтажным домом располагался Екатерининский бульвар, где в иные вечера гуляло до семидесяти собак. Царство собачников. Там возникали романы, дружбы, и дружбы крепкие. Две семьи из моих собачьих друзей живут в Израиле, я бываю там довольно часто, мы всегда видимся, и вообще поддерживаем постоянную связь, хотя собак давно ни у кого нет.

Благодаря такой «собачьей» дружбе, я попала в геологическую

партию на должность поварихи. Хозяин добермана по кличке Марс, геолог Саша Живкович, в процессе совместного выгуливания собак вдруг предложил мне поехать с его партией на Урал. И мне вдруг безумно этого захотелось, нас же всех воспитывали во вполне романтическом духе, мы ездили за туманом, за запахом тайги, и я не была исключением, опасаясь только, что родители будут против. Однако маму, почему-то, это не смутило. Папу, разумеется смутило, да еще как, но главной у нас была мама, и я поехала! Да еще мне пришлось взять с

Папа с Лордом.

собой Лорда, поскольку у него незадолго до поездки приключилась тяжелая болезнь мочевого пузыря и ветеринар посоветовал взять его с собой, чтобы он там вылечился травами. Никто в партии не удивился, так как Сашка тоже брал с собой Марса. Мне было сказано, что в Свердловске мы остановимся на день в гостинице «Большой Урал» и я соответственно оделась. И вот представьте себе картинку: я приехала в аэропорт с огромной собакой на поводке, с пишущей машинкой (я как раз получила первую книжку для перевода), в шелковом костюмчике и на высоких каблуках. Увидев группу — все в кедах, драных джинсах, штормовках, я здорово смутилась, но меня спасло в глазах группы умение посмеяться над собой. Хотя чувствовала я себя до ужаса глупо, но переодеться до прибытия на место возможности не было: все вещи шли отдельно. В Свердловске мы не задержались, а сразу уехали. В Москве мне было обещано, что готовить придется на газовой плитке, но пока в баллонах не было газа, мне пришлось свой первый полевой ужин готовить на... паяльной лампе, которой до тех пор и в глаза не видела. Правда, мне ее в руки не давали. Шофер выкопал ямку, поставил туда

лампу, включил ее и пламя с ревом и диким напором уперлось в земляную стенку. А сверху я поставила огромную кастрюлю картошки — ничего другого у нас пока не было, разве что мешок лука, привезенный из Москвы. Правда, на паяльной лампе я готовила всего два дня, дальше действительно появилась двухконфорочная плитка. Для кухни мне поставили большую палатку, и это было мое царство. А жила я тоже в отдельной палатке. Первые дни я пребывала в некоторой панике. Как я справлюсь со всем этим хозяйством в столь отличных от Москвы условиях? Однако, несколько дней и я вполне освоилась. Вставала ни свет, ни заря и мыла оставшуюся с вечера посуду, вода в такую рань была теплая, над рекой стлался легкий туман, тишина, красота... Затем я готовила завтрак из того, что Бог послал — какая-нибудь каша, яйца, помидоры. И шла будить народ. А так как по паспорту моя фамилия Вильям-Вильмонт, что повергало в шок работниц почты в городе Нижние Серги, — то кто-то мгновенно сочинил стишок: «Вставай, вставай, мудила!» — Вильям-Вильмонт будила».

После завтрака все уезжали в маршрут, но кто-то обычно оставался со мной и двумя псами. Потом у нас появился и третий: из Свердловска привезли родного брата Марса, добермана Тимку. До него псы жили мирно, а с его явлением начались собачьи свары. Однажды, когда я вышла из кухни с огромной кастрюлей в руках, чтобы слить картошку, мне под ноги подкатился рычащий и хрипящий ком дерущихся собак. Только чудом мне удалось удержаться на ногах и не уронить кастрюлю. Иначе я бы и сама ошпарилась, собаки бы пострадали и люди остались бы голодными. Вообще, надо заметить, я за три месяца не получила ни одной производственной травмы. Сашка уверял меня, что я первая повариха, которой это удалось. Считаю это доказательством высокого класса, разве нет? И до сих пор горжусь.

Итак, все уезжали в маршрут, а я брала свой старенький «ундервуд» и садилась за стол с книжкой и словарями. Вокруг летало несметное количество слепней, но наши шоферы нашли выход. Они ставили рядом со мной жестяную банку из-под селедки с дымящимися

гнилушками — создавали дымовую завесу. Я сидела и переводила книжку гэдээровского писателя Якобса «Пирамида для меня». Совершеннейшая социалистическая муть, но начинающему переводчику выбирать не приходилось.

А вечером, к возвращению ребят я опять-таки готовила, что Бог послал. Стабильно у нас была картошка, макароны, лук, помидоры, томатная паста и сгущенка в огромных банках. Как-то ребята достали ящик свиной тушенки, но она была такой отвратительной, что ее никто есть не желал и все не съеденное продали кому-то в деревню. Спасали грибы. Иногда я с кем-то из шоферов ездила на добычу в Нижние Серги или Михайловск. Помню как-то, когда я уже освоилась и приобрела вполне полевой вид — штормовка, мятые штаны, кеды, в продуктовом магазине в Сергах я купила ящик яиц. Ко мне вдруг подошел какой-то мужик, окинул меня оценивающим взглядом и спросил:

— Геолог, что ли?

— Да, — с невероятной гордостью ответила я.

— Сама шоферишь? — уважительно осведомился он.

— Нет, — говорю, — я на хозяйстве.

— Молоток! — оценил он меня.

Почему-то этот разговор доставил мне невероятное удовольствие. И весьма повысил, как теперь принято выражаться, мою самооценку.

Супы, которые я там варила, буквально из топора, я называла «уральской фантазией». Как правило, это были постные супы, куда шло все, что было под рукой, но однажды в Михайловске я купила кусок мяса, правда, не настолько большой, чтобы приготовить из него что-то на всю команду. И я сварила бульон. Настоящий прозрачный бульон, к нему отдельно рис, как иногда делала дома, а мясо измельчила, поджарила с луком и оставила на ужин, чтобы добавить к макаронам.

Меня не поняли. Прозрачный бульон, даже с рисом, был воспринят как пустое хлебово. Интересно, что «уральскую фантазию» все трескали и не роптали, и я поняла — для работяг главное, чтобы ложка в супе стояла. И учла этот опыт. Больше никто не роптал, правда, когда у нас ничего кроме картошки не было, мужики шутили: «Кать, имей в виду, от крахмала только воротнички стоят!». Но это была расхожая партийная шутка.

Выходила на берег Катюша.

После довольно долгого постного периода — мяса просто негде было взять — нашим мужикам удалось купить барашка. Нашлись умельцы, барашка зарезали, освежевали, но к мясу меня, слава Богу, не подпустили. Помощник начальника партии Саша Болтанский по кличке «Болтик» все хлопоты по приготовлению шашлыка взял на себя. Шашлык не женское дело. Итак, нам предстоял праздник желудка, и мы решили отметить его как настоящий праздник! Одному из шоферов было поручено купить спиртное, Болтик оставался на хозяйстве, а мы поехали в Нижние Серги в баню! Кроме меня у нас была еще одна женщина, очаровательная Наташа Горева по прозвищу Пеночка. И вот мы с Пеночкой намылись в бане, подушились (у меня был с собой маленький флакончик французских духов) и, чувствуя себя, несмотря на все тот же полевой прикид, неотразимо прекрасными и счастливыми, вышли на улицу, где нас уже ждали чистые и даже отчасти выбритые ребята. Все были в приподнятом настроении — еще бы, шашлык и в обычной-то жизни праздник, а тут, когда так давно не видели мяса... Подъехали к лагерю, в нос ударил запах шашлыка и у всех голова пошла кругом. Болтик расхаживал возле самодельного мангала с гордым видом — шашлыки готовы, стол накрыт, можно садиться. Правда, увидев то, что купил шофер, Сашка Живкович заметил: «Жадность может фраера окончательно сгубить!». Дело в том, что в целях экономии и в погоне за количеством, был куплен вермут местного производства по цене один рубль две копейки за бутылку. «Этим можно только заборы красить! — резюмировал Сашка, — но с шашлыком пойдет». И вот на столе целый таз упоительно пахнущего мяса. Мы все схватили по куску и у всех тут же глаза полезли на лоб. Есть это было нельзя! Кислятина такая, что слезы из глаз. Что же выяснилось? Болтик зама-

риновал мясо в... неразбавленной технической уксусной кислоте! Есть его было просто опасно для жизни. Даже собакам не отдашь. А из все той же жадности замариновано было все мясо! Чтобы ненароком собаки его не сожрали, пришлось немедленно вырыть глубокую яму и закопать там наш праздник! В результате мы опять ели картошку, запивая горе вермутом по рубль две! Мат, обрушившийся на голову несчастного Болтика, по сей день стоит у меня в ушах!

Бедой Болтика было то, что он считал себя компетентным буквально во всем! И тем не менее, я всегда с огромной нежностью и благодарностью вспоминаю, как зимой, когда у папы буквально отобрали Лорда люди, отлавливавшие в городе бездомных животных, я в панике позвонила Болтику, он сразу примчался и поехал со мной к ветеринарной лечебнице на улице Юннатов, куда к вечеру свозили едва живых животных. Мы полдня простояли там на морозе, и Болтик утешал меня. За эти часы мы выяснили, что ни в коем случае нельзя «качать права», надо сразу предлагать деньги. «Вы, ребятки, с ними осторожно, — учил нас сторож, — это ж нелюдь, разве человек будет таким делом заниматься». Стемнело, стали возвращаться эти жуткие душегубки. Мы кидались к ним. «Не, мы сегодня на Самотеке не были, мы Измайлово бомбили!».

В какой-то момент я уже потеряла надежду и замерзла как цуцик. Болтик отправил меня куда-то греться. И через десять минут подбежал ко мне с Лордом! Что за вид и запах были у моего несчастного пса! Болтик рассказал: «Когда я к ним кинулся, они сразу ухмыльнулись: знаем за какой ты собакой! На Самотеке

Кать, если у тебя кошка пропадет, ты ее тут лучше не ищи... Они и кошек и собак в одну клетку кидают...

старик за нами бежал, палкой стучал!.. Кать, если у тебя кошка пропадет, ты ее тут лучше не ищи... Они и кошек и собак в одну клетку кидают»... Тоже ведь дети галактики!

Пробыв два месяца в Свердловской области, мы стронулись с места и поехали в Пермскую. Переезд занял три дня, если не ошибаюсь. По пути мы остановились в Кунгуре, городе, знаменитом своей пещерой. Остановились в гостинице, как белые люди. И решили пойти пообедать в местном ресторане, куда нас благополучно не пустили. У нас, оказывается, вид был недостаточно элегантный для этой убогой забегаловки. Мы уж готовы были смириться, но недавно присоединившаяся к нам Тамара Дмитриевна Троицкая, профессор МГУ, не могла такого стерпеть. Она пошла к директору и выдала ему там по первое число. В результате нам удалось пообедать в ресторане! После обеда решили ехать в пещеру. Чтобы попасть в нее, надо было переправиться на лодке через реку Ирень. День был жаркий, солнечный, мы встали в очередь на переправу. И вот стою я у поручней на мостиках, разморенная, довольная, на мне красивая заграничная кофточка с большим вырезом, а рядом со мной Наташа — тоненькая, изящная, в обтягивающих джинсиках. А в уходящую лодку усаживается парочка провинциальных туристов — толстая тетка в коротком кримпленовом платье, взмокшая от жары и синтетики, с газовой косынкой на «хале». А ее муж весьма заинтересованно на меня поглядывает. И вдруг тетка говорит, тоже глядя на меня и даже не понижая голоса: «Наверное, проститутка!». Муж потупился и пробормотал: «Не знаю!». Мы с Наташей чуть не упали от хохота. Узнав об этом Сашка, а с его легкой руки и все остальные, стали звать нас «Две подруги, бельдюга и простипома». Так изящно называлась тогда рыба, которую поставляли детям галактики.

Кадры из сериала по роману «Хочу бабу на роликах!».

Следующей нашей стоянкой был поселок Кусьё-Александровский в Пермской области. О нем я писала в книге «Нашла себе блондина!».

В нашей шестьдесят первой партии за три месяца перебывало много народу, но отношения сохранились лишь с Сашей Живковичем. Мы с ним по-прежнему друзья, он живет в Израиле, в маленьком городке Арад, и его жена Наташа, тоже моя подруга, со смехом недавно сказала мне: «Что ж ты прямо из-под нас продала нашу квартиру?». Я даже не сразу смекнула, в чем дело. В романе «Хочу бабу на роликах!» бабушка героини продала свою двухэтажную квартиру с видом на пустыню, то есть такую, как у них.

Сашка неоднократно приходил мне на помощь в тех крайних ситуациях, в которых я иной раз оказывалась. И я всегда это помню с благодарностью, не говоря уж о том, что поездка на Урал стала для меня необычайно важной вехой. Я почувствовала себя после этого опыта иначе, мне стало легче жить.

Осенью, когда все уже вернулись домой, я пригласила в гости наиболее близких людей из нашей партии и закатила им пир, мне ведь не очень удавалось проявить свои кулинарные возможности в полевых условиях. Я наготовила уйму всего, но главным блюдом был мой фирменный форшмак, о котором столько говорилось в «Курице в полете». Недавно мне показали рецепт форшмака «от Вильмонт», почерпнутый из Интернета. Он ничего общего с моим рецептом не имел и тот, кто взялся его готовить по Интернетовскому рецепту, наверное, меня проклял. Мой рецепт полностью приведен в «Курице», кроме того он был опубликован в кулинарном журнале «На здоровье!» и все-таки я приведу его здесь, ведь это одно из моих коронных блюд.

Итак, из расчета на трех — четырех человек, в зависимости от аппетита едоков (можно вполне справиться вдвоем). Итак, берем четыреста граммов отварной нежирной говядины, три-четыре картофелины, в зависимости от размера, двести граммов сметаны, одну малосоленую селедку, не пряного посола, еще нам понадобится немножко сливочного масла для обмаз-ки сковороды. Пропускаем через мясорубку мясо, вареную картошку и селедку. Селедка должна быть небольшая, если она все-таки соленая, лучше взять половинку. Перемешаем все это, добавив сметану, затем месим, пока не получится приятное на ощупь тесто. Попробуйте — уже вкусно! Важно, чтобы вкус селедки ощущался где-то на горизонте, не сильнее. Если все в порядке и ▶

ничего добавлять не нужно, берем сковороду, лучше чугунную, но можно, в принципе, любую, даже глиняную или стеклянную, просто для некоторых блюд чугунная предпочтительнее, но, повторяю, если у вас в доме ее нет, то берите любую. Смажьте сливочным маслом, выложите на нее форшмаковое тесто половинкой колобка, прижмите слегка руками и ножом сделайте надрезы, как на котлетах. И ставьте в духовку минут на сорок, до появления румяной корочки. И сразу на стол, ни в коем случае не снимая со сковородки! На худой конец извинитесь перед гостями, тем более, что потом они с удовольствием будут соскребать присохшую корочку.

Но пока форшмак в духовке, приготовьте соус. Что-то вроде тартара. Возьмите майонез, бросьте в него мелко порезанные маринованные огурцы или же просто укроп. Можно и каперсы, словом, как вам больше понравится. Без соуса тоже будет вкусно. Пусть вас не смущает, что форшмак не режется на аккуратные куски. Вооружитесь большой кухонной ложкой и накладывайте гостям на тарелки. Успех вам обеспечен. Многие из тех, кто этого блюда еще не пробовал, говорили: какая гадость, мясо с селедкой... Но попробовав, они буквально вылизывали сковородку. Форшмака всегда бывает мало. Но если вдруг по какой-то причине его не доели, то и холодный форшмак тоже очень недурен, а можно его ненадолго сунуть в микроволновку. Но все же с пылу с жару он куда лучше.

Разумеется, я собиралась и впредь ездить с геологами в поле, но в силу разных обстоятельств больше у меня не получилось, однако дружбу с Сашкой Живковичем сохранила по сей день, и он все так же элегантно кроет меня матом, что меня нисколечко не обижает, я же знаю, что он тоже

меня нежно любит. Иногда по телефону спрашивает: «Тебя там, в Москве никто не обижает?». И я уверена, что это неформальный вопрос, хотя чем он мне поможет из своего Арада?

Хотя кроме Сашки я ни с кем из нашей достославной шестьдесят первой партии сейчас не встречаюсь, но вспоминаю то лето с душевным трепетом. Оно оказалось необычайно важным для меня. Я многому научилась, многое поняла, многому узнала цену. По окончании сезона Сашка спросил: «Слушай, я раньше всех поварих премировал стихами Асадова, но тебе, наверное, это не подойдет? Тебе, наверное лучше Даррелла подарить?». С чем я согласилась. Книги в то время были жесточайшим дефицитом, а в глухих уральских поселках можно было иной раз напороться на весьма редкие издания. Ах боже мой, что только тогда не было дефицитом! Помню, на Урале получила письмо от мамы: «Мы с папой вчера шли домой от Колхозной. В обувном давали туфли на платформе. И очередь была небольшая. Мы тебе купили, надеюсь, окажутся впору».

Из экспедиции я вместе с Тамарой Дмитриевной Троицкой возвращалась поездом, а Лорда мне должны были привезти несколько позже самолетом. Своих я не предупреждала, решила сделать сюрприз. Поезд приходил рано утром. Я позвонила в дверь. Открыл мне папа. При виде меня он ошеломленно отступил назад с возгласом: «Катя, ты с ума сошла!». И захлопнул перед моим носом дверь! Но тут же распахнул ее, и выскочившая в прихожую заспанная мама крикнула: «А где же Лорд?».

Там же на Екатерининском бульваре я подружилась с супружеской парой, Милой Каганской и Володей Житницким и с живущей в Риге сестрой Милы Тамарой. Володя — типичный пример инженера-гуманитария, порождение той эпохи, когда мальчику как-то совестно было учиться в гуманитарном ВУЗе. Основные его интересы по сей день остаются в сугубо гуманитарной сфере. А сестры, мои дорогие подруги Мила и Тамара — врачи-психиатры. Сейчас все трое живут в Израиле, и я регулярно их навещаю. Особенно запомнился первый приезд к ним в Реховот. Я приехала в Израиль в гости к своей подруге Любе, о которой речь впереди. По

моей просьбе Любка, которая немного знакома с Житницкими, позвонила и сказала им, что у нее есть для них письмо от Кати Вильмонт и завтра она будет в Реховоте. Они обрадовались, дали ей адрес и мы с утра отправились в Реховот, пришли по адресу и Любка позвонила в дверь. Открыла Тамара, не знакомая с Любкой, но предупрежденная о ее визите. Сделав вежливо-приветливое лицо, она пригласила ее войти, но тут за Любкиной спиной увидела меня, открыла от удивления рот и вдруг как заорет:

— Мила! Мила!

Выскочила Мила, увидела меня и заорала:

— Володя, Володя!

Выскочил Володя и, как человек весьма чувствительный и эмоциональный, начал при виде меня сползать по стеночке. Сюрприз удался на славу!

... нас повели гулять в ныне уже не существующие в Реховоте пардесы — апельсиновые рощи, где впервые в жизни я попробовала апельсин с дерева!

Но мой последний кот, обожаемый Жука, о достоинствах которого говорилось в «Путешествии оптимистки», был любителем тех самых крохотных пирожков, о которых с тяжелыми вздохами и мечтательным выражением лица вспоминают многие мои друзья и знакомые.

После бурных объятий, восклицаний и поцелуев нас повели гулять в ныне уже не существующие в Реховоте пардесы — апельсиновые рощи, где впервые в жизни я попробовала апельсин с дерева!

С тех пор я всегда навещаю в Реховоте это нежно мною любимое семейство. Мила и Тата мои верные читательницы. Еще в Москве я нередко обращалась к Миле за медицинскими консультациями. Я не лечусь у психиатров, но обе сестры еще и прекрасные терапевты. Помню, как-то Тамара по телефону из Риги консультировала меня, когда папа свалился с воспалением легких, а лечили его врачи из поликлиники Литфонда, что бывало иной раз опасно для жизни. Я каждый день созванивалась с ней, читала назначения врачей, и только с ее одобрения применяла то или иное средство, выписанное врачами. Слава Богу папа в тот раз быстро встал на ноги именно благодаря Тамаре.

А собак у нас ни у кого сейчас нет.

Кстати, я уже писала, что Лорд заболел — у него сделался полупарез мочевого пузыря, иными словами он не мог сам мочиться. И я шесть лет два раза в день делала ему массаж, что у нас в доме называлось «доить Лорда». Иными словами я стала «невыездной», так как ни маме, ни папе он просто не давался. «Почему ты его не усыпишь?» — нередко спрашивали меня. Что на это можно ответить? Потому что я его

люблю? Но это же и так понятно. Однако после его смерти, я дала себе слово не заводить больше собак.

А вообще-то я кошатница. Кошек люблю до безумия, но сейчас не держу их, только собираю коллекцию фигурок. Друзья возят мне всяческих кошек со всего света, их у меня около пятисот.

Но мой последний кот, обожаемый Жука, о достоинствах которого говорилось в «Путешествии оптимистки», был любителем тех самых крохотных пирожков, о которых с тяжелыми вздохами и мечтательным выражением лица вспоминают многие мои друзья и знакомые. Особенно Жука любил пирожки с зеленым луком и яйцами. Стоило мне поставить миску с этими пирожками, непременно прикрытую полотенцем, на стол и выйти из комнаты, как Жука кидался к ней, лапой сшибал еще горячий пирожок на пол и, чтобы тот скорее остыл, гонял его по комнате. А потом с урчанием выгрызал начинку. Тесто он тоже сжирал, чуть позже оставляя только кончики. Люди тоже сметали эти пирожки с урчанием. Сейчас я расскажу, как они делаются.

Для теста нам нужно: стакан молока, полпалочки дрожжей, (не уверена, что сейчас еще есть те самые дрожжи, что-то я их не вижу, но говорят сухие не хуже), двести граммов сливочного масла и соль.

Масло растапливаем, дрожжи растворяем в горячем молоке, не доводя до кипения, вливаем молоко в растопленное масло, солим и начинаем сыпать туда муку, сперва мешая ложкой, а потом и руками. Когда тесто начнет отлипать от дна посудины, вынимаем его и месим на доске, по мере надобности добавляя муку. Вы сами прекрасно почувст-

вуете, когда тесто будет готово. Мягкое, нежное, оно ни в коем случае не должно быть тугим! Отрежьте от теста кусочек и займитесь им, а остальное прикройте полотенцем. Это тесто надо пускать в дело сразу, оно не должно выхаживаться. Берите в руки скалку и раскатывайте максимально тонко. Затем стаканчиком или бокалом нарежьте на кругляши и лепите пирожки, пока не посинеете. Начинка любая, но лучше всего мясо или зеленый лук с яйцами (зеленый лук и яйца режем достаточно мелко, поскольку пирожки у нас задуманы крохотные, смешиваем и добавляем масло опять-таки растопленное или уже совсем мягкое). Противень посыпаем мукой, поскольку тесто и так жирное и выкладываем пирожки. Удобнее их лепить гребешком вверх. Затем разбалтываем в чашке яйцо и смазываем каждый пирожок. В процессе приготовления пирожков я больше всего ненавидела имен-

но этот момент. Но если вы терпеливы и прилежны, думаю, даже и не заметите как смажете все пирожки. Печь надо в разогретой духовке минут двадцать-тридцать. Предупреждаю, что из приведенной выше порции получится не менее двух больших противней. Чем ближе к приходу гостей вы покончите сэтой процедурой, тем больше комплиментов вам достанется. И от людей и, возможно, от котов.

Это тесто, впрочем, можно употреблять и для больших пирогов, и для сладких в том числе. Если вдруг у вас остался кусок этого теста, смело раскатайте его, уложите на сковородку, натрите на терке один крупный лимон с цедрой, смешайте с сахаром — примерно три четверти стакана, выложите на тесто, залепите края и в духовку. Этот пирог можно делать и закрытым, а можно прикрыть начинку полосками теста, словом, как угодно. Вкусно будет в любом случае!

За кордон

В семидесятых годах прошлого века я впервые попала за границу, в ГДР. Мне прислала приглашение моя приятельница, вышедшая замуж за немца. Чтобы выехать в эту страну, пришлось собрать кучу каких-то справок, и довольно долго ждать ответа без малейшей уверенности в том, что он будет положительным. Но, как ни странно, выезд мне все-таки разрешили. Деньги тогда меняли из расчета пятнадцать рублей в сутки. Оля Киселева, пригласившая меня, об этом знала и приглашение прислала, если не ошибаюсь, на полтора месяца. Разумеется, больше двух недель я у нее гостить не собиралась, так что денег у меня за границей было достаточно. Помню, я сфотографировалась на паспорт и чуть не грохнулась в обморок, увидев полученные снимки, но времени переделывать уже не было и в результате, в поезде польский пограничник взял мой паспорт, посмотрел на карточку, посмотрел на меня и покачал головой: «Пани, то ж не вы!».

Жила Оля в пригороде Восточного Берлина. Приехала я вечером, а утром Оля на электричке отвезла меня на Александрплац и оставила одну. Она спешила на работу. Я была в восторге! Впервые за границей, с деньгами, с языком. Незадолго до поездки я закончила перевод чудесного романа Эриха Кестнера «Фабиан», где действие происходит в Берлине. Оля снабдила меня картой города и многие упоминавшиеся в романе места находились как раз в Восточном Берлине. Я пошла бродить по городу. Но вскоре натолкнулась на пустоту — это была зона отчуждения перед пресловутой Берлинской стеной. Зрелище жуткое. Обрывающиеся линии метро, городской железной дороги, все это производило гнетущее впечатление, и чтобы немного развеяться, я отправилась в огромный универсальный магазин на Алексе. Баба есть баба! Мама в Москве наставляла меня: «Ничего не покупай в первые дни! Обязательно купишь какую-нибудь дрянь!». И я устроила себе обзорную экскурсию! После московских магазинов мне показалось, что я попала в царство изобилия. Но больше всего меня потряс хозяйственный отдел. Боже, какие там были кастрюли, чайники, кофейники! Хотелось купить все! И я не удержалась, купила-таки зеленый эмалированный кофейник с изящным белым орнаментом, с черной не нагревающейся ручкой и такой же большой пупочкой на крышке. Он не может оказаться дрянью, решила я. Кофейник служил очень долго, последние лет двадцать уже не по прямому назначению (кофейники как-то вышли из употребления) — я использовала его вместо лейки для цветов и выбросила лишь два года назад, когда поменяла кухню. Тридцать лет для эмалированной посудинки не так уж плохо. А сотейник из керамики по тем временам потрясавший воображение, белый

Итак, с тринадцатью марками в кармане, два более чем пожилых человека сели в поезд, совершенно не зная, будет ли им хотя бы где переночевать.

с красно-синим узором и красной крышкой по сей день украшает мою кухню. Посуду я люблю до страсти. Еще с Урала я приперла домой целый ящик эмалированной посуды, которую производил какой-то, кажется, военный завод в городе Лысьва. Вся наша партия накупила этой красоты. Желтые приятной округлой формы кастрюльки с цветочками для советских людей были невиданной роскошью. А тут в ГДР и вовсе трудно было не рехнуться... Когда я выгрузилась в Москве из поезда, мама спросила изумленно: «Что это ты навезла?». «Кастрюли!» — восторженно ответила я, и глаза у мамы блеснули, ей хотелось немедленно их увидеть.

Впрочем, продуктовые магазины поразили меня не меньше. Недалеко от Алекса находился первый в Берлине супермаркет, как положено с тележками и огромными пространствами, заполненными разнообразными продуктами. Особенно меня удивило то, что там стояли штабеля стеклянных и железных банок с овощными и фруктовыми консервами хорошо знакомых нам болгарских и венгерских фирм. Горошек, фасоль, цветная капуста. Но кроме этих трех позиций, там имелось еще невиданное множество других, которые нам и не снились. Я и по сей день не могу понять, почему цветную капусту в банках закупать для детей галактики можно, а, к примеру, брюссельскую капусту нет? И таких примеров было не счесть! И на каждом шагу продавались желтые бананы. Без очереди!

А кока-кола! А напиток «Биттер Лемон», невероятной вкусноты! Правда, после него хотелось пить еще больше, но какое это имело значение! И почти везде можно было купить колу с ромом и что-то вроде ситро с джином. А толстые тюрингские колбаски со сладковатой, почти белой горчицей? Как-то Оля повела меня в заведение под таинственным название «Гриль», где жарили кур... Сейчас даже вспоминать смешно, как я удивлялась.

Но больше всего меня потрясло, когда в универмаге продавщица обратилась ко мне «мадам»! Как я сразу выросла в собственных глазах, несчастное галактическое дитя, воспитанное на озверелом хамстве продавцов, и буквально с молоком матери усвоившее, что это почти норма.. До сих пор помню мамин рассказ о том, как в «Большом Мосторге», то есть ЦУМе «выбросили» ситец и возникла такая давка, что продавец вскочил на прилавок и деревянным метром лупил покупателей по головам. Чего не бывает на просторах галактики!

Но самое страшное то, что вежливость в универмаге была тем пределом хорошего обслуживания, который мог вынести мой советский организм. В ГДР тогда имелись магазины «Эксквизит», что-то вроде наших «Березок», там продавались товары на обычные гэдээровские марки, но значительно лучше, нежели в обычных магазинах. Покупать в «Эксквизите» было в

ГДР престижно. Слух об этих магазинах добрался и до нашей галактики. И я решила заглянуть туда, купить пару хороших туфель. Сказано-сделано. Вхожу. Никаких тебе туфель. Продавщица бросается

ко мне. «Что вам угодно?». «Белые туфли», — выдавила я испуганно. Она усадила меня в кресло и принялась выставлять передо мной одну пару за другой. Я была напугана до смерти. И уже поняла, что просто не смогу уйти без покупки. Я ткнула наугад в одну пару. Продавщица, не первой молодости дама, стала надевать на меня туфли. Меня бросило в пот от неловкости. К счастью, туфли оказались малы. Она улыбнулась и успокоила меня, мол, ничего, сейчас принесу побольше, и скрылась за кулисами. Я влезла в свои старые туфли и позорно сбежала. Отправилась прямиком в обувной отдел универмага, где сама выбрала туфли, перемеряла пар десять, никого не утруждая и, наконец, выбрала то, что хотела. Магазин самообслуживания с хорошим ассортиментом — вот предел мечтаний для меня, советской женщины, а все остальное это уж не для нас... Должна сознаться, что до сих пор не очень люблю навязчивый сервис в магазинах.

А в прошлом году я гостила в Калифорнии и Лана, о которой я писала выше, повела меня по огромным и шикарным торговым центрам. И я почти везде говорила с патриотической гордостью: «У нас такое тоже есть!». Лана смеялась: «Ничем тебя не удивишь».

Впрочем, кое-что меня все-таки там удивило. Мы зашли в туалет, где вода сливалась сама, стоило встать с сиденья! И бумажные полотенца сами отматывались, стоило протянуть руки. «Ланка, — сказала я, — тебе все-таки удалось меня удивить!». И, разумеется, не столько удивило, сколько порадовало наличие буквально везде бумажных кружков для сиденья. Пустячок, а как приятно!

Вот уже много лет я по несколько раз в год бываю за границей, но до сих пор воспринимаю это с радостью и легким изумлением — неужто это я?

А тогда в ГДР я освоила несколько блюд, рецептами которых поделюсь с вами.

Во-первых, картофельный салат к сосискам. Нет ничего проще! Варим картошку, режем некрупными, но и не мелкими кусочками (значительно крупнее, чем для «оливье» или винегрета) режем кольцами репчатый лук и заправляем майонезом. Можно добавить петрушку, укроп, можно свежий огурчик, но основа все же картошка и лук. Вообще-то в Германии принято заправлять этот салат уксусом, смешанным с растительным маслом, тоже неплохо для тех, кто любит уксус. Недавно в Мюнхене в пивной мне подали сосиски с картофельным салатом, заправленным, как говорилось выше, уксусом с маслом. Салат был теплый. Тоже не хило! А второе блюдо уже посложнее. Это фаршированные яйца. Делается так: сваренные вкрутую яйца режем пополам, вынимаем желтки, растираем их со сливочным маслом, добавляем ложечку горчицы и зелень, очень мелко порубленную. И непременно ложечку сахарного песку. Полученной массой заполняем ямочки в белках. Не рекомендуется ставить это блюдо в холодильник — масло застынет.

В ГДР я слышала немало страшных историй о том, как люди пытались сбежать на Запад, сколько было жертв. Несмотря на все тяжелые условия несвободы в ГДР, столь близкое соседство с Западом, все же не позволяло властям держать свой народ в столь униженно обделённом положении, как держали нас... Нас потому никуда и не выпускали. Смешная история произошла в 1965 году с моим отцом. В составе писательской делегации его послали в Западную Германию. Состав делегации был весьма причудлив: кроме папы, германиста, туда поехали Юрий Трифонов, Анатолий Софронов и какой-то сотрудник Иностранной комиссии Союза писателей и, по-видимому, компетентных органов. Да не по-видимому, а наверняка. Поездка в те годы в капиталистическую страну была делом редкостным, почетным. Впрочем, Софронов, главный редактор «Огонька» и человек, здорово запятнавший себя в годы борьбы с космополитизмом, ездил всюду, для него это была рядовая поездка. Было известно, что папа там должен прочитать какие-то лекции, и ему должны за них заплатить. То есть он сможет что-то купить. Купить, а не «достать». Глагол «достать», ныне почти не звучащий, тогда много значил для детей галактики. Был составлен список-минимум и список-максимум, на листке бумаги нарисованы наши с мамой ступни и все в таком роде. Предполагалось, что на обратном пути делегация на два дня задержится в ГДР, так как у всех были там какие-то деньги за издание книг. Валютных магазинов тогда еще у нас не было. Папа вернулся неожиданно, на два дня раньше. Что же оказалось? Их делегации не позволили задержаться в ГДР, видимо, опасаясь сравнений, явно не в пользу демократической республики. Более того, для них специально подняли самолет, на борту которого были только они!

Деньги в ФРГ им заплатили неплохие и папа с Трифоновым побегали там по магазинам. Папа смешно рассказывал, как Юрий Валентинович ходил по магазинам приговаривая: «Так, это жене, это дочке, а вот это дорогому Юрочке!». Дорогой Юрочка был он сам! Так что духовность духовностью, а бегать с голой задницей или носить Москвошвей никому особо не хотелось!

В наши дни поездка за границу вопрос лишь времени и денег, а когда-то это было делом чести, что ли, или во всяком случае невероятной привилегией. Он ездит за границу! Значит, он благонадежен, облечен доверием верхов и, уж попутно, лучше одет и так далее. Уже после смерти прекрасного писателя Юрия Нагибина, которого я отлично помню еще с моих детских лет в Красной Пахре, я прочла в его дневниках столько горьких слов по поводу несостоявшихся поездок... А ведь он ездил куда больше многих других, но, кажется, по-настоящему страдал, когда его не пускали. И нашу семью не обошла эта болезнь. Я уже писала, как отправила отца с матерью в Одессу, потому что его не выпустили в Италию. И таких историй было немало. Маму в середине шестидесятых выпустили в туристическую поездку по Италии. Но когда она собралась в следующую, кажется, во Францию, ее не пустили. Мама пережила это довольно хладнокровно, и когда появилась возможность поехать в Скандинавию, опять подала документы. На сей раз ее пригласил к себе Виктор Николаевич Ильин, орг.секретарь Союза, в прошлом генерал КГБ и наш сосед по подъезду. Человек, в свое время тоже много лет просидевший, умный и не лишенный чувства юмора.

Был составлен список-минимум и список-максимум, на листке бумаги нарисованы наши с мамой ступни и все в таком роде,

— Наталия Семеновна, — начал он, — вы вот подали документы в Скандинавию...

— Да, и что? — насторожилась мама.

— Да вот есть сомнения...

— В чем это?

— Вот вы ездили в Италию... Есть мнение, что вы там вели себя не по-товарищески...

Мама ожидала любых упреков, кроме этого.

— И в чем это выражалось?

— Вам лучше знать... — загадочно заметил Виктор Николаевич.

Мама раздраженно пожала плечами.

— Язык у вас уж больно острый, — решил внести некоторую ясность Ильин.

— А, — сообразила мама, — кажется я понимаю в чем дело... Знаете, Виктор Николаевич, я просто убеждена, что вы тоже не смолчали бы, если б вам довелось услышать подобный разговор. Нас привели в Собор святого Петра, причем служба была невероятно торжественная, в это время как раз происходил Вселенский Собор, и один ленинградский писатель, уловив в латинской речи слово «спиритус», толкнул меня локтем в бок и довольно громко сказал, потирая руки: «Об водочке заговорили!». А рядом стояли польские монахи, прекрасно понимавшие по-русски. Я чуть со стыда не сгорела. Ну и объяснила этому идиоту, кто он такой...

— Да-а... — впечатлился Ильин. Понимаю вас.

И маму выпустили в Скандинавию. Об этой поездке мама тоже рассказы-

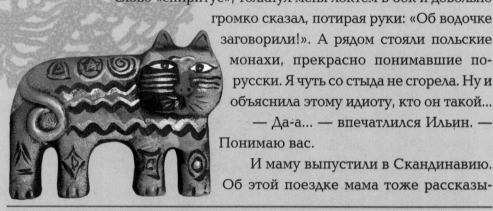

Мама помнила эти цветы с детства и хотела, чтобы ее уже двадцатилетняя дочь хоть одним глазком взглянула на такую прелесть. Пис.дамы никак не могли понять ее.

вала немало интересного. Она жила в одной комнате с Лидией Борисовной Либединской, которую назначили старшей группы. Они с мамой вполне нормально сосуществовали. И вот в каком-то шведском городе, кажется Гетеборге, у мамы разболелась нога, и она решила не ходить в музей живописи, а просто немножко полежать. Лежит она себе и вдруг в номер вбегает Лидия Борисовна, красная как помидор и просто задыхается.

— Что с вами? — испугалась мама.

— Тата, это какой-то кошмар! Смотрите! — Лидия Борисовна вытащила из сумки записную книжку, раскрыла ее и сунула под нос маме.

Там между страниц лежало что-то твердое и пестрое.

— Что это такое? — не поняла мама.

— Тата, вы не поверите, но это... мазок!

— Какой мазок?

— Мазок с картины импрессиониста! Это писатель Н. так изумился при виде картин, что подошел и отломил мазок на память... Я от ужаса налетела на него, отняла и спрятала, чтобы никто не заметил, а то этот болван еще вздумал бы хвастаться. Тата, откуда такие берутся? Впрочем, мы-то с вами знаем откуда.

В той поездке мама опять вела себя «не по-товарищески». В то время только вошли в моду мохеровые шарфы. И мама купила себе такой шарф — светло серый, с нашитыми на нем двумя карманами. Шарф с карманами стоил чуть-чуть дороже. Пис.дамы были возмущены. «Зачем вы это сделали?». «Затем, что я курильщица и в карман удобно класть сигареты». Но это бы еще с полбеды. В Хельсинки мама купила японский бумажный цветок. То есть это не цветок, а плотно и сложно спрессованная бумага, которую надо бросить в воду и цветок распускается. Мама помнила эти цветы с детства и хотела, чтобы ее уже двадцатилетняя дочь хоть одним глазком взглянула на такую прелесть. Пис.дамы никак не могли понять ее.

— Зачем вы это купили?

— Хочу показать дочке.

— А что вы потом будете с этим делать?

— Полюбуемся и выбросим!

Разве это по-товарищески?

В 1975 году мама получила приглашение прочитать лекцию в Гейдельбергском университете об искусстве перевода.

Как выяснилось, это было не первое приглашение, но предыдущие просто не доходили, ибо их посылали на Союз писателей, где они благополучно оседали. Но тут в Москву приехал один из преподавателей этого университета и передал приглашение маме в руки. Она немедленно позвонила в Иностранную комиссию Союза писателей, где ей стали вешать лапшу на уши относительно квот, которые, очевидно, на простых смертных, по их мнению, не распространялись...

И тогда мама пошла к Ильину, предварительно сделав перевод приглашения. Рассказала о разговоре в Иностранной комиссии. Ильин видимо был уверен, что эта пожилая дама точно не сбежит на Запад.

— Наталия Семеновна, кто оплачивает дорогу?

— Приглашающая сторона.

Ильин одобрительно кивнул, подчеркнул красным

карандашом фразу о том, что все расходы берет на себя университет и заверил маму, что она поедет, скорее всего, поедет.

Документы были запущены, и осталось только ждать. Накануне дня предполагаемого отъезда ответа еще не было. В день отъезда с утра еще никто ничего не знал. К двум часам мы втроем поехали в Инокомиссию. Ни ответа, ни привета. Надо сказать, что мама сохраняла хотя бы видимость спокойствия. Но что было с папой... Я боялась, что его хватит инфаркт. Мы сидели в ресторане Дома литераторов уже в полной уверенности, что поездка не состоится, а между тем лекция стоила немалых трудов и времени. Но кого это волновало? И вот когда мы уже решили плюнуть и уехать домой, в ресторан вбежал запыхавшийся работник инокомиссии с известием, что мама все-таки сегодня уедет! А у нее даже вещи не были собраны из суеверия. Но в результате мы все успели и мама уехала. Но сколько нервов, сколько крови было попорчено...

Через два года мой отец получил почетное звание члена-корреспондента Западногерманской Академии языка и литературы, первым из советских людей. И для вручения диплома его с супругой пригласили в Мюнхен, на выездную сессию Академии. Папа, уже наученный маминым опытом, не стал обращаться в Иностранную комиссию, а сразу обратился в так называемый Большой союз. Там как будто бы поняли, что это «довольно почетно», как пел Высоцкий и обещали оказать содействие. Папа просил не доводить все до последней се-

... Один ленинградский писатель, уловив в латинской речи слово «спиритус», толкнул меня локтем в бок и довольно громко сказал, потирая руки: «Об водочке заговорили!».

кунды, он, мол, стар уже — ему было тогда семьдесят шесть лет. Они сдержали слово — выдали документы за два дня, тем более, что дело было перед Майскими праздниками. Но... Во-первых, билеты взяли на день раньше, чем следовало бы и поменять возможности не видели, и вдобавок не выдали ни единого пфеннига, объяснив это тем, что перед праздниками нет возможности получить валюту! А что такого, подумаешь, два старых человека без гроша в кармане приедут в Мюнхен, где даже обратиться не к кому, ведь сессия предстояла выездная... то есть вроде бы все сделали, а с другой стороны продемонстрировали, кто в доме хозяин... Или это просто мелкая пакость какого-нибудь чиновника из Инокомиссии? Все возможно. К счастью, мама не растерялась, мы с ней пошли на Центральный телеграф и оттуда она позвонила профессору Ресслеру, который принимал ее два года назад. Объяснив ситуацию, попросила помочь. Ресслер пообещал, что все будет в порядке. От прошлой поездки у мамы осталось, кажется, три или четыре марки, да еще один наш приятель привез десять марок, оставшихся у него. Итак, с тринадцатью марками в кармане, два более чем пожилых человека сели в поезд, совершенно не зная, будет ли им хотя бы где переночевать. Но едва поезд пересек границу между ГДР и ФРГ, как западногерманский пограничник вручил им телефонограмму, записанную на обратной стороне детского рисунка, в которой говорилось, что на Мюнхенском вокзале их будут встречать и отвезут в гостиницу.

И действительно, их встречал лично владелец издательского концерна с цветами и отвез в небольшой отель рядом со знаменитым Английским садом. И дал им денег, чтобы с голоду не померли, и пригласил к себе в гости на вечер. И ведь в Союзе Писателей никому в голову не пришло, что подобное отношение к людям, так явно продемонстрированное на этом мелком примере, может для нормальных людей перевесить любые космические завоевания. А подобных историй было великое множество.

Но хватит пафоса. Из той поездки мама вернулась глубоко потрясенная достижениями современной техники. В доме у владельца концерна, который их встречал, мама увидела нечто невероятное: видеомагнитофон! Помню восторженный мамин рассказ: «Это такой ящик, он стоит под телевизором, туда суют коробку и можно посмотреть любой фильм! И что хочешь записать с телевизора!».

А еще мама привезла такую невидаль, как губки для посуды, самые обычные теперь губки, которые продаются на каждом шагу по десять штук в пачке. Тогда это казалось нам, дочерям галактики, таким чудом... Мама привезла их много и дарила знакомым, ведь это так удобно!

Как-то один мужчина, ухаживавший за мной, спросил: «Что тебе привезти из Германии?». Я, женщина скромная, сказала: «Губки!». И объяснила, какие, я знала что такой подарок вполне по средствам даже бедному советскому человеку, они стоили сущие гроши.

Итак, с тринадцатью марками в кармане, два более чем пожилых человека сели в поезд, совершенно не зная, будет ли им хотя бы где переночевать.

Он привез... одну губку. У него и так было немного шансов, но теперь не осталось ни одного!

Когда я в девяностом году впервые попала в тогда еще Западную Германию, то накупила прорву этих губок.

— Господи, зачем тебе столько? — изумленно спросила Лиана.

— На сувениры! — ответила я.

У Лианы на глазах выступили слезы. А когда Ольга поехала в Голландию, она тоже привезла губки на сувениры и еще пластиковые пакеты с ручками. Это тоже был дефицит!

А сколько преступлений, порожденных тотальным дефицитом, сколько сломанных жизней... Я уж не говорю о катастрофическом дефиците свободы вообще и свободы слова в частности! Но молодость многое искупала. Мы все равно жили, веселились, влюблялись и путешествовали по огромной и, безусловно, фантастически интересной стране.

Как-то один мужчина, ухаживавший за мной, спросил: «Что тебе привезти из Германии?». Я, женщина скромная, сказала: «Губки!»...

Бегство от мозгов

В семьдесят втором году все непереносимо жаркое лето мы пробыли в Москве. Тогда впервые на моей памяти горели торфяники, и город наполнился дымом. Дышать было нечем, мороженого, воды, квасу не достать, работать немыслимо, мозги плавились. Собаки, выходя на прогулку прятались в любой тени, казалось, настал конец света. Мы тогда жили на Самотеке, неподалеку от Центрального рынка. Однажды я зашла там в мясной павильон и ахнула: все прилавки были завалены роскошным, просто невиданным мясом, стоившим какие-то копейки. Было только одно «но» — мясо оказалось глубоко несвежим! Где его прятали, неясно, для кого — более или менее понятно, но очевидно в такую жару мяса этим людям не хотелось, и его выбросили на прилавок для простых детей галактики. Восстание на «Потемкине» тоже началось с несвежего мяса, но тут никто не восстал, жарко было...

Осенью я решила куда-нибудь поехать и тут мамина подруга Татьяна Аркадьевна сказала: «Пусть Катя поедет в Ереван, там сейчас Наташа гостит у Сильвы Капутикян, вдвоем им будет веселее». Я никогда не была в Армении, и мне очень захотелось поехать, а оттуда я решила махнуть в Тбилиси к Тамрико. Сказано — сделано! В самом деле, нам с Наташей было весело там. Нас опекала племянница Сильвы, чудесная девушка Аревик, маленькая, некрасивая, но такой доброты, прелести и с отличным чувством юмора... К тому же Аревик прекрасно готовила. Приведу один из ее рецептов, усвоенных мною. Она называла это блюдо долмой, хотя вообще-то долма — это малюсенькие голубцы, завернутые в виноградные листья, но Аревик готовила это так:

Мясо с рисом (рис надо слегка обжарить на сливочном масле, он станет чуть розоватый), как на голубцы, запихивается в разные овощи — в кабачок, баклажан, капустный лист, помидор (овощи тоже слегка обжарить, кроме помидоров), затем жарится много лука и моркови, кладутся на дно жаровни или сотейника, сверху овощи и много много зелени — кинзы, базилика и петрушки, все это залить водой, прокипяченой на сковородке от лука с морковкой, добавляется немного томатной пасты, чуть аджики и тушится на небольшом огне примерно час. К этой вкусноте подается соус — сметана с чесноком. Можно вместо сметаны взять мацони или по-армянски мацун.

К моему приезду Аревик наготовила целый котел этой долмы, мы с Наташей ели ее по два раза в день, и она порядком нам надоела. «Шашлыка хочется», — с тоской проговорила Наташа, тем более что тогда в Ереване из всех дворов доносился запах шашлыка. И вот как-то утром Аревик заявляет:

— Наташка, долма закончилась. Сегодня на обед будут мозги!

Я похолодела!

— Кать, надо что-то придумать, я мозги есть не могу! — прошептала Наташа.

— Я тоже! Но сказать у меня язык не повернется. Придется что-то наврать.

— Наврем!

Что именно мы наврали, уж не помню, но от обеда дома отбоярились и пустились в загул, решив где-нибудь поесть шашлыка. Но не тут-то было! Куда мы ни совались, везде нас ждало разочарование:

либо не было шашлыка, либо нас не пускали. Наконец, мы уже махнули рукой на мечту, не до жиру быть бы живу! Теперь нам уже хотелось только где-то сесть и хоть немного отдохнуть. Кажется, нас Бог карает за вранье, смеялись мы. В результате мы пообедали в огромном ресторане какой-то большой гостиницы, а в соседнем зале принимал гостей Католикос всех армян. И все шашлыки были съедены не нами!

— Наташа, а вдруг Аревик приготовила столько мозгов, что нам и завтра придется где-то бегать?

— Значит, побежим! — решительно ответила Наташа.

Со стыдом вспоминаю свой, как теперь говорят, «прокол» — я мало что знала об Армении, и когда стало известно, что нас повезут в Гегард, я решила, что это какой-то город и оделась понаряднее — белые брюки и очень красивая кофта, с ворчанием сшитая Еленой Григорьевной из двух павлово-посадских платков — «Вечно ты что-нибудь выдумаешь!». Кофта была без рукавов. И никто ничего мне не сказал. А оказалось, что Гегард — вырубленный в скале монастырь. Поскольку с нами была Сильва Капутикян, знаменитая поэтесса, национальная гордость, то принимали нас с большими почестями, показывали что-то, что показывают только почетным гостям, все было безумно интересно, но я чувствовала себя ужасно — я была одета так неподобающе! И мне казалось, что священник смотрит на меня с укором... Чтобы продемонстрировать акустику монастыря, Аревик чудным голосом спела армянскую песню...

— Наташа, а вдруг Аревик приготовила столько мозгов, что нам и завтра придется где-то бегать?
— Значит, побежим! — решительно ответила Наташа.

Однако после «Уроков Армении» Андрея Битова, писать об этой стране не решаюсь. А бедняжка Аревик умерла совсем рано... Это было удивительно чистое и доброе существо. Она иногда приезжала в Москву к Наташе. Как-то она спросила у Юры Гальперина, Наташиного мужа, астрофизика с мировым именем:

— Юра, а если взять маленькую мышку и очень хорошо кормить, она быстро вырастет в большого медведя?

Юра крайне удивился:

— Мышка не может вырасти в медведя, как ее ни корми!

— Почему? — в свою очередь удивилась Аревик.

— Да потому что мышка это мышка, а медведь...

Недоразумение разрешила Наташа.

— Юра, Аревик имеет в виду маленького мишку!

Еще в Ереване мы с Наташей решили, что надо купить что-то в дом и отправились вдвоем на базар. Обожаю восточные базары! Эти запахи, это изобилие и красота неизменно волнуют и восхищают! Мы накупили сыру, винограду, персиков немыслимой красы. Однако потом нам объяснили, что, покупая персики, обращать внимание надо не на вид, а на запах. Они могут быть совсем невзрачными, но аромат должен сводить с ума! И теперь я всегда покупаю персики, предварительно понюхав!

Спортивные страсти

И еще мы болели! То есть были болельщиками! Наша семья помешалась на хоккее. Это была эпоха его расцвета. Какие имена: Старшинов, братья Майоровы, Зимин, потом уже Якушев, Шадрин... Это только «Спартак», а был еще и Харламов, и Фирсов, и Рагулин, и Мальцев! Разумеется, мы и наши друзья болели за «Спартак»! Сперва болели по телевизору. Потом мы с Галей Филимоновой решили сходить на стадион, во Дворец спорта. Боже, как мне это понравилось! Стук шайбы о борт, визг режущих лед коньков, крики зрителей, крики игроков, фантастически красивое и напряженное зрелище! А как кипели страсти, каким волнением наполнялась душа, когда диктор объявлял: «С подачи Бориса Майорова, номер девятый, шайбу забросил Вячеслав Старшинов, номер восьмой!». И рев спартаковских болельщиков! Я решила, что должна приобщить маму к этому великолепию, она оценит! И она оценила! Мама в своем далеко не юном возрасте просто сошла с ума! Натура страстная, она беззаветно полюбила хоккей и «Спартак». Мы с нею знали всех игроков и в лицо, и по номерам. Доходило до смешного — когда мы переехали с Ломоносовского на Самотеку и у нас, естественно, поменялся номер телефона, мама все никак не могла его запомнить. Я в шутку предложила: «Давай я тебе его запишу по номерам спартаковцев?». «Валяй», — ответила мама. Номер телефона звучал так: «Мигунько, Старшинов, Макаров и т.д.». И что бы вы думали? Мама запомнила номер. А когда в семьдесят втором году состоялась серия советско-канадских матчей, и мы наблюдали эти бои по телевизору, папа иногда в порыве отчаяния убегал на бульвар... Короче страсти кипели нешуточные... Однажды диссидентствующие дамы из круга маминой подруги Татьяны Аркадьевны укорили маму за ее увлечение, как они выражались, «недостойное интеллигентных людей», мама пожала плечами и ответила: «Должна же я чем-то гордиться в своей стране!».

Думаю, в те годы спортивные достижения для многих были такой патриотической отдушиной. Кто только тогда ни увлекался хоккеем! Помню, у нас была чудесная портниха Елена Григорьевна, милейшая дама, учившаяся когда-то с папой в одной гимназии, уже после революции, тоже увлеклась не на шутку хоккеем, но она болела за ЦСКА!

— Как вы можете болеть за конюшню? — возмущалась мама.

— А мне нравится Петров! — отвечала Елена Григорьевна.

И что на это возразишь?

Кстати, благодаря Елене Григорьевне, мы с мамой могли быть прилично одеты. Она шила нам и платья, и пальто.

Как-то я пришла на примерку в новом, с трудом добытом лифчике.

— Что это за козьи сиськи? — возмутилась Елена Григорьевна. — Что ли теперь вытачки менять, куда это годится?

Одна моя приятельница умолила меня познакомить ее с Еленой Григорьевной. Я познакомила. Приятельница ей поначалу понравилась, но потом Елена Григорьевна, иронически поднимая бровь, рассказала, что та принесла ей чьи-то готовые заграничные вещи, требуя, чтобы Елена Григорьевна слепо их скопировала, вплоть до каждого шовчика. «Я ей говорю: так нельзя, это узко, тут надо припустить, а тут наоборот убавить, а она уперлась... Одну вещь я так и быть ей сошью, но больше не буду. Она ничего не понимает, и к тому же явно мне не доверяет. Я так не привыкла!». Шить у хорошей портнихи тоже надо уметь... В последние годы ее жизни я привела к ней Ольгу Писаржевскую и Елена Григорьевна сшила ей несколько потрясающих платьев. Я очень любила Елену Григорьевну. Она в моей жизни играла важную роль и тоже меня любила. «Вечно ты что-нибудь выдумаешь», — ворчала она. Я как-то купила в магазине «Русский лен» ярко-синюю ткань на летнее платье. В журнале мы нашли красивый фасон — длинная косая молния, две молнии на карманах и одна спускалась с плеча. Но эти молнии еще надо было купить. В журнале все они были белые. Но мне удалось купить только длинную белую и одну короткую. А что делать с другими? Искать по всему горо-

Однажды диссидентствующие дамы из круга маминой подруги Татьяны Аркадьевны укорили маму за ее увлечение, как они выражались, «недостойное интеллигентных людей», мама пожала плечами и ответила: «Должна же я чем-то гордиться в своей стране!».

Для одного из маминых платьев понадобилась вставка, ее сделали из оборок моей шикарной нейлоновой нижней юбки. Вот уж поистине — голь на выдумки хитра!

ду? Легко сказать! И я купила одну красную и одну желтую.

— С ума сошла? — напустилась на меня Елена Григорьевна.

— Да нет, красиво получится, посмотрите! — убеждала я ее.

Она приложила молнии к ткани, повертела их так и сяк. «Вечно ты что-то выдумаешь! А вообще-то правда здорово!».

Платье получилось эффектнейшее.

Мама шила у Елены Григорьевны еще до войны, и они со смехом вспоминали, как хотели чем-то отделать мамино нарядное шерстяное платье! И отделали! Чем бы вы думали? Кружевами со старых заграничных панталон! Впрочем, во времена моей юности с отделкой было не многим лучше. Для одного из маминых платьев понадобилась вставка, ее сделали из оборок моей шикарной нейлоновой нижней юбки. Вот уж поистине — голь на выдумки хитра!

Самиздат и тамиздат

Чуть выше я упомянула о дефиците свободы слова... Не могу не рассказать здесь несколько забавных эпизодов, связанных с запрещенной литературой.

Один переводчик взялся вместе с мамой переводить толстый австрийский роман «Волчья шкура». В день, когда он должен был сдавать в издательство свою часть, он признался, что ничего практически не сделал. Скандал был грандиозный, и его часть поделили между мамой и мной. В работе над «Волчьей шкурой», все, наконец, убедились, что я перевожу сама, а не мама за меня, как многие думали. Редактор, Инна Николаевна Бобковская раз в два дня приезжала к нам и забирала мамин кусок и мой, сделанный от руки. Работа была сумасшедшая, мы с мамой сидели каждая в своем углу и с утра до ночи переводили. В какой-то момент мама взмолилась: «Инна Николаевна, дайте хоть денек передышки, помыться толком некогда!». На что Инна Николаевна испуганно закричала: «Девочки, умоляю, не мойтесь!».

Но это лишь преамбула. Этот переводчик, чтобы вымолить прощение мамы принес нам рукопись книги Солженицына «Бодался теленок с дубом». Мы все по очереди прочли книгу, в которой впервые упоминался

«Архипелаг Гулаг». А время, напомню, было суровое — конец 1971 года. Разумеется, мы понимали, что говорить об этом можно лишь с самыми проверенными людьми, к числу коих принадлежала и мамина подруга Татьяна Аркадьевна. Как-то она зашла к нам и мама ей сказала: «Таня, мы тут прочли одну книгу, где Солженицын так тепло пишет об Асе (имелась в виду Анна Самойловна Берзер, редактор «Нового мира»)».

А дальше начала развиваться поистине детективная история.

На другой день позвонила Ася. «Тата, — сказала она, — мне нужно с вами увидеться»...

— Не понимаю, Ася что-то темнит, мне все это не нравится, — заявила мама после разговора.

Не помню уж, что еще было, но в какой-то момент, я положила рукопись в хозяйственную сумку, сверху пустые молочные бутылки и ушла из дома. Мы боялись обыска. Я решила, что пойду в кино. Посмотрев какой-то фильм, и еще пошлявшись по городу, я позвонила домой. Мама довольно веселым голосом потребовала, чтобы я немедленно возвращалась. Мы тогда жили на Самотеке.

— Иди, посмотри, кто у нас... — шепнула мама, открыв дверь.

Я вошла в комнату. За столом возле елки (был канун православного Рождества, 6 января 1972 года) сидел высокий мужчина со шкиперской бородкой, в ярком красивом свитере. Ну какая девушка из интеллигентной семьи могла бы в те годы не узнать Солженицына! Я обалдела. А Александр Исаевич взял у меня экземпляр рукописи, осмотрел его и произнес: «Понятно!

Вы не могли бы вызвать сюда человека, который дал вам эту рукопись!».

Я бросилась к телефону.

— Н.Н., вы можете сейчас к нам приехать, срочно?

— Что-то случилось? — быстро спросил он, много лет отсидевший в лагерях.

— Да.

— Папа и мама в порядке?

— Да.

— Хорошо, еду.

Едва он появился, как Александр Исаевич ушел с ним в другую комнату, и они минут десять о чем-то шептались. Потом Александр Исаевич попросил меня проводить его до остановки трамвая.

Когда я вернулась домой, все сидели потрясенные. Солженицын произвел на нас грандиозное впечатление.

Прошло месяца полтора или два, не помню уж. Возвращаюсь я откуда-то, и вижу, что папа сидит у меня в комнате, а я этого ох как не любила, папа со своим немецким педантизмом вечно наводил порядок у меня на столе, и я потом ничего не могла найти. Мне в моем беспорядке было куда легче ориентироваться.

— Пап, ты почему тут сидишь?

— А у меня в комнате Александр Исаевич!

Я решила, что ослышалась.

— Александр Петрович? — это был один из наших собачьих знакомых.

— Да нет, Александр Исаевич, — таинственно усмехаясь, повторил папа.

— Но что он там делает?

— Записывает на магнитофон свою Нобелевскую речь! Он вспомнил, что у нас тихо и уединенно, вот и зашел неожиданно.

Вскоре появился и сам Солженицын все в том же свитере, убрал в рюкзак магнитофон и, категорически отказавшись от обеда, ушел. Через некоторое время через ту же Анну Самойловну он передал нам текст Нобелевской речи, напечатанный на машинке со своим автографом и роман «Август Четырнадцатого» тоже с автографом. Потом, прочитав «Теленка», изданного на Западе с позднейшими комментариями, я увидела, что Солженицын упомянул об истории с рукописью не называя, правда, имен, но в весьма, я бы сказала пренебрежительном тоне, хотя вполне понятно, что если бы его тогда засекли, у нас могли быть большие неприятности. Но мы для него были просто обывателями, не включенными в его яростную борьбу.

Уже позднее, когда один наш друг-немец привез «Архипелаг Гулаг», с этой книгой было связано два весьма характерных для тех лет случая. Как-то ночью, часа в два, когда все давно спали, раздался звонок в дверь, громкий, настойчивый. Я выскочила в прихожую, и увидела, что мама в ночной рубашке мчится в сторону кухни, прижимая к груди опасную книгу.

Я дрожащим от ужаса голосом спросила:
— Кто там?
— Кать, пусти, а то меня жена выгнала...
Это пришел мой в дымину пьяный друг Саша, который где-то напился и жена не впустила его в квартиру.

Как говорится и смех, и грех!

Я потом спросила маму, зачем она мчалась на кухню.

— Если что, я бы выкинула книгу в окно.

Второй случай с той же книгой я описала в «Трех полуграциях». Там историю рассказывает Алиса. Напомню вкратце. Я должна была перед отъездом в Эстонию, забрать книгу у Натальи Григорьевны Касаткиной, прекрасной переводчицы, и отвезти Вильгельму Вениаминовичу Левику. Родители уже уехали, а у меня гостил Петя Гейбер. Я поехала на улицу Черняховского, взяла книгу и вышла на Красноармейскую, чтобы поймать такси. Ехать с ней в метро я не решилась.

И вдруг кто-то хватает меня за предплечье со словами: «Думаете, вы совсем убежали?». Похолодев, я подняла глаза. Передо мной стоял дядька в черном костюме, белой нейлоновой рубашке и черном галстуке (а был жаркий летний день) и гнусно ухмылялся. Что я ощутила может понять только тот, кто это пережил. Но, видимо, в момент крайней опасности и впрямь обостряются все чувства, и я вдруг поняла: он просто пристает ко мне, кадрится и ничего больше. Я двинула его локтем в бок, он охнул и выпустил мою руку, а я со всех ног понеслась по проезжей части, пытаясь поймать машину. Одна их них подобрала меня. Дома я все рассказала Петьке. И хотя ничего ведь не произошло, нас обоих весь вечер била дрожь. Кажется, Петька не очень поверил моей интуиции, и на другой день поехал сопроводить меня до квартиры Левика. И когда с опасным грузом было покончено, мы с ним пошли и напились. Так мы жили... Сейчас это кажется забавным пустячком, но тогда на нас словно повеяло холодом галактики.

Петя уехал в 1987 году, как только чуть разжали тиски. Я провожала их в Шереметьево, и когда настал момент прощаться, сказала со свойственным мне оптимизмом:

— Я уверена, что мы еще увидимся в этой жизни, но... мы уже не увидимся молодыми.

Нам было по сорок лет и мы чувствовали себя еще вполне молодыми.

И я как в воду глядела. Мы увиделись лишь в 2002 году, когда они с Ланкой приехали в Москву. И Петька напомнил мне ту мою фразу. Прошло пятнадцать лет, в течение которых мы не теряли друг друга из виду, и Петька из-за океана помогал мне, когда было совсем плохо, помогал чем мог, причем без всяких просьб с моей стороны, по собственной инициативе. И это дорогого стоит.

Я вообще очень высоко ценю дружбу и верю, кстати, в дружбу между мужчиной и женщиной, вопреки распространенному мнению о том, что это невозможно. Еще как возможно! И подруги тоже не обязательно соперницы. Просто друзей надо уметь выбирать. Наверное, я очень счастливый человек. Те люди, которых я считала своими друзьями, так сказать, первой очереди, меня не предавали.

Но что-то я ударилась в патетику, вернусь к земным радостям.

Петя с Ланой, приехав в Москву, с удовольствием ходили по ресторанам и меня тоже водили. Они приехали подготовленными, с целым списком заведений, которые следует посетить. И не были разочарованы, а они, можно сказать, в этом деле доки, ездят по всему миру.

Петя уехал в 1987 году, как только чуть разжали тиски. Я провожала их в Шереметьево, и когда настал момент прощаться, сказала со свойственным мне оптимизмом: — Я уверена, что мы еще увидимся в этой жизни, но... мы уже не увидимся молодыми.

Должна заметить, что где бы я ни была теперь, я могу с гордостью утверждать, что московские рестораны ничем не хуже, а зачастую и куда лучше зарубежных, по крайней мере, мне так кажется. А когда-то в советские годы попасть в ресторан, например, в Москве было огромной проблемой. В связи с этим вспоминается характерный случай: Галя Филимонова защитила диплом на химфаке Московского университета, и мы решили отметить это знаменательное событие в ресторане, днем, поскольку в те годы двум девушкам пойти вечером в ресторан было неприлично. Но днем нам тоже это не удалось. Мы не попали ни-ку-да! Всюду натыкались либо на спецобслуживание, либо на санитарный день, либо

Петя и Лана в Москве.

на что-то еще, столь же непреодолимое. Куда мы только ни совались, но все напрасно. А ресторанов тогда было мало... В результате мы поехали ко мне и пили грузинское вино с бутербродами. А зачем, собственно, детям галактики нужно много ресторанов? Обойдутся. Вот нам и пришлось обойтись. Однако, бывая в ресторане сейчас, мы обязательно вспоминаем защиту ее диплома, которая, собственно, только этим обломом и запом-

Мы не попали ни-ку-да! Всюду натыкались либо на спецобслуживание, либо на санитарный день, либо на что-то еще, столь же непреодолимое. Куда мы только ни совались, но все напрасно. А ресторанов тогда было мало...

нилась, ибо Галя давно оставила свою первую профессию. Галка одна из «трех полуграций». Вторая — Ольга Писаржевская, ну а третья, собственно, это я. Только не ищите биографических совпадений, их там почти нет, все дело в характерах и нюансах.

Постепенно на наших кухнях стало появляться новое и вполне по тем временам — конец семидесятых, начало восьмидесятых — экзотическое блюдо, пицца. Сейчас, когда пиццу можно встретить на каждом шагу, мне на нее и глядеть неохота, а тогда я с удовольствием ее освоила, тем более, что любое блюдо с тертым сыром кажется мне вкусным. Я тогда даже не утруждала себя приготовлением теста, покупала слоеное в кулинарии, раскатывала и наваливала на него все остатки, что были в доме, посыпала сыром и в духовку. Тогда это имело успех. И обязательно я старалась добавить маслины. Мы с папой их очень любили, а мама в рот не брала. Когда-то, в моем детстве, маслины продавались в рыбных магазинах и отделах, черные, сморщенные, но все-таки довольно вкусные. Как-то в конце семидесятых мне попалась пятикилограммовая банка не то греческих, не то испанских маслин, и я ее купила (сколько лишнего мы иной раз покупали, просто из страха, что потом не будет), с восторгом приволокла домой, и мы с папой ликовали. Однако быстро выяснилось, что нам это количество никак не одолеть и я стала банками раздавать этот дефицит всем друзьям и знакомым. Подобная жадность была свойственна детям галактики. А вдруг завтра не будет? А если у вас вдруг завалялось несколько маслин или оливок, то могу посоветовать, как их употребить с пользой и удовольствием.

Возьмите творог, разомните вилкой, добавьте совсем немного сметаны, оливки или маслины нарежьте как вам понравится, конечно, для этой цели лучше подойдут маслины без косточек, добавьте в творог, слегка посолите. Можно добавить еще немного грецких орехов или миндаля или кураги или просто зелени, словом — простор для фантазии...

«Салат с оливками» от Екатерины Вильмонт

Мне могут сказать, что можно было бы обойтись. Конечно, человек в принципе может обойтись без всего, кроме воздуха, воды, куска хлеба и клочка ткани... Но зачем и почему, собственно, работая, существуя в определенных социальных условиях, он должен это делать?

Впервые я попробовала маслины в доме маминой подруги, еврейской писательницы Ширы Горшман. Это была талантливая, и очень оригинальная женщина, острого ума, со злым языком и весьма причудливой и трудной судьбой. Совсем девочкой она уехала из Литвы в Палестину, очень рано родила первого ребенка, потом вернулась в Союз, где попала в еврейскую коммуну в Крыму. Оттуда ее увез, влюбившийся в нее московский художник Михаил Ефимович Горшман и тем самым спас от ареста — всю коммуну вскоре посадили. У Ширы Григорьевны было четверо детей, но одну дочь она потеряла в буквальном смысле этого слова, на дорогах войны. Одна из дочерей Ширы Григорьевны, Шлоймита, Суламифь, стала женой Иннокентия Смоктуновского, и он звал ее Соломкой. И в связи с этим вспоминается весьма характерная для тех лет история.

Ольга Писаржевская поделилась со мной, можно сказать, самым дорогим — блатом в Смоленском гастрономе. Там, в отделе заказов, работала некая Маша, которая за три рубля «формировала» заказ, состоявший в основном из дефицита. Это была маленькая, толстенькая, вполне симпатичная женщина, которая звонила и говорила:

— Наталия Семеновна, заказик будем брать?

— А что там, Машенька? — интересовалась мама.

— Ну, ветчинка хорошая есть, колбаска копченькая, икорка, рыбочка красненькая...

И все в таком роде. А однажды она спросила: «Височки брать будем?».

— Какие височки? — удивилась мама.

Оказалось, виски! Конечно, мы не отказались от такой экзотики, и хотя напиток никому особенно не понравился, но бутылка, как ни смешно, сохранилась у меня до сих пор, несмотря на многие катаклизмы — переезды, ремонты, пожар. Я держу в ней уксус.

Так вот, с этой самой Машей мы познакомили Шлоймиту. И однажды, если не ошибаюсь, дело было перед Майскими праздниками, Маша позвонила и велела явиться за заказом к половине седьмого утра и ждать не у дверей как обычно, а у входа в метро. Такое бывало почти всегда в праздники. И там в эту дикую рань я встретила Шлоймиту Михайловну, жену, наверное, самого знаменитого артиста стра-

Реховот.
В гостях
у Житницких.

ны. Мы вдвоем стояли у метро в ожидании продуктов, пусть даже остродефицитных, и в тот момент, кажется, даже не осознавали всю степень унижения. Мне могут сказать, что можно было бы обойтись. Конечно, человек в принципе может обойтись без всего, кроме воздуха, воды, куска хлеба и клочка ткани... Но зачем и почему, собственно, работая, существуя в определенных социальных условиях, он должен это делать? К тому же хотелось и самим что-то вкусное съесть и гостей порадовать. Мы в те годы часто принимали гостей и сами в гости ходили, нужно же чем-то согреваться на ледяных просторах галактики...

А Шира Григорьевна после перестройки уехала в Израиль и даже умудрилась выйти там замуж! Ей было уже за восемьдесят.

В связи с нею вспоминается моя первая поездка в Израиль. Это отдельная большая страница в моей жизни, я еще напишу о ней, а сейчас история, связанная с Широй Григорьевной. Ее сын перед моей поездкой дал мне какую-то книгу для матери и сообщил телефон. Разумеется, едва приехав в Тель-Авив, я стала звонить, но по этому номеру никто не отвечал, никогда. Моя подруга Люба, у которой я жила, обещала узнать,

Русский магазин в Сан-Франциско.

как найти Ширу. И вот мы с Любкой поехали на экскурсию в Иерусалим, а так как дело было в Песах, то нам объявили, что нас примет вдова знаменитого скульптора, погибшего от рук ортодоксов — они в субботу натянули веревку через дорогу, а скульптор на большой скорости ехал на мотоцикле и разбился насмерть. Мастерская находилась в центре Иерусалима и была вырублена в скале. Там нас чем-то угощали и устроили маленький концерт. Пела группка девушек с чудными голосами на иврите, и на идиш. И на бис вдруг одна из девушек говорит: «Я спою вам песню, которую нам подарила одна старая писательница, приехавшая из России». И запела колыбельную, которую Шира пела мне, когда жила у нас в Пахре. После концерта я подошла к певице и спросила, не Широ ли Горшман она имела в виду? Оказалось, что да, ее! Увидеться с Широй, увы, не пришлось, но книгу я передала.

Земля обетованная

В 1976 году район Самотеки стали выселять, чтобы проложить будущий Олимпийский проспект. В результате долгой и мучительной борьбы с советскими учреждениями мы переехали в совсем новый писательский дом в Астраханском переулке, а один никому не ведомый поэт, которому должны были дать двухкомнатную квартиру в Астраханском, получил трехкомнатную в Орехово-Борисове, ту, что предназначалась нам по сносу. Поэт был в полном восторге. «Катя, там же воздух, природа, коровы пасутся, я с пастухом по выходным выпиваю!» — делился он со мной. Путем каких-то ведомственных перетасовок мы тоже получили трехкомнатную квартиру. А так как дом на Самотеке шел под снос, нас торопили с переездом и в результате наш ордер был первым. «Почему это он у вас обменный?» — крайне удивились в ЖЭКе, когда мы с мамой предъявили ордер. Пришлось долго и нудно все разъяснять, на нас смотрели как на двух аферисток. А когда мы, наконец, вышли во двор, там упоительно пахло свежей сдобой. Оказалось в доме рядом была не просто булочная, а еще и пекарня. Правда, это удовольствие длилось недолго, пекарню вскоре закрыли.

Но к чему это я? Ах да, вспомнила. Через полгода после нашего переезда моя подруга Ольга Писаржевская тоже переезжала в новую квартиру и оказалось, что мы живем в пяти минутах ходьбы друг от друга.

И вот как-то звонит мне Ольга и спрашивает ни с того ни с сего:

— Кать, а как звали твою учительницу в первом классе?

— Евгения Степановна, — автоматически ответила я. — А тебе зачем?

— Знаешь, кто тут у меня сидит?

— Понятия не имею!

— Ты Любку Каплан помнишь?

— Господи, конечно, помню!

В первом классе 125 женской школы, что на Малой Бронной, со мной учились две близняшки, Люба и Женя Каплан. Мы не были подругами, но я прекрасно их помнила уже хотя бы потому, что во втором и в третьем классе мы уже учились в другой школе, с мальчишками, и те вечно дразнили сестер: «Каплан, ты Ленина убила? Тебя же вроде расстреляли?».

Оказалось, что Ольгина дочь Аська подружилась с дочкой Любы Машкой, а жила Люба в одном с Ольгой подъезде. Мы встретились и на сей раз крепко сдружились. В самом конце 1991 года Любка с дочерью, зятем и маленьким сыном уехала в Израиль. И ничто не предвещало скорой встречи, однако жизнь непредсказуема. В 1993 году, в силу сложившихся обстоятельств, я вынуждена была поменять свою трехкомнатную квартиру на двухкомнатную, но зато в одном доме с Оль-

И вот тащусь я к выходу, и вдруг слышу, как Любка своим прокуренным голосом кричит: — Ну, скорей уже, старая кляча! Так встретила меня Земля Обетованная!

гой. Поменять, естественно, с доплатой. А тут еще Аська ездила в Израиль и привезла мне оттуда приглашение от Любки. И я решила — пока у меня есть деньги, надо поехать! Во-первых, жутко хотелось увидеть Любку, и уж, во-вторых, страну «израильской военщины».

Когда-то в шестидесятых годах, когда с Израилем уже были порваны даже дипломатические отношения, кто-то из немцев подарил нам фотоальбом «Израиль». Было жутко интересно его смотреть, но держали мы его на всякий случай

Моя «двоюродная дочь» Ася Монастырёва.

на антресолях. А то мало ли кто увидит... Так мы жили!

И вот я прилетела в Тель-Авив, вся дрожа от нетерпения! Наконец получила багаж — я везла туда подарки, посылки от родственников, иными словами была нагружена как вьючное животное, а взять каталку, по советской своей задуренности не сообразила — в Москве каталок тогда было днем с огнем не сыскать. И вот тащусь я к выходу, и вдруг слышу, как Любка своим прокуренным голосом кричит:

— Ну, скорей уже, старая кляча!

Так встретила меня Земля Обетованная!

Описывать свои туристические впечатления я тут не стану, их довольно в моих книгах, взрослых и детских, скажу лишь, что влюбилась в эту страну и езжу туда при первой возможности. Без ложной скромности замечу, что Израиль в известной степени платит мне взаимностью — мои книги там достаточно популярны. В прошлом году я хотела заказать себе экскурсию в друзские деревни и позвонила в какую-то фирму. Там спросили мою фамилию. Я честно сказала: «Вильмонт».

— Случайно не Екатерина? — полюбопытствовала женщина.

— Случайно Екатерина, — в тон ей ответила я. Мне было приятно.

— Это вы книжки пишете?

— Я.

В городе Кармель в Калифорнии.

— Ой, я вас обожаю! Только мне иногда хочется некоторым вашим героям дать по башке! Особенно тому актеришке из «Хочу бабу на роликах!» Такая скотина, вы со мной согласны?

Этот разговор доставил мне огромное удовольствие. Так к чему это я? Ах да, помимо всего прочего Израиль изрядно пополнил мой кулинарный багаж, и больше всех преуспела в этом моя Любка. Приведу здесь рецепт ее холодного супа, вкуснее которого я, пожалуй, не ела.

Итак, варим две свеклы, картошку, яйца, и берем все, что обычно кладем в окрошку — огурцы, зеленый лук, укроп. Свеклу натираем на терке. Заливаем это литром кефира и добавляем пол-литра безалкогольного, лучше темного, пива. Суп готов! Это не просто вкусно, это фантастически вкусно!

И еще один салатик, простой, как правда:

Мелко шинкуем белокочанную капусту, кладем в мисочку, затем ставим на огонь маленькую сковородку с растительном маслом, высыпаем туда очищенные подсолнечные семечки и жарим, все время помешивая. Как только семечки зарумянились, наливаем в сковородку не очень соленый соевый соус, и едва он закипел, выливаем все это в миску с капустой, перемешиваем и салат готов. Попробуйте! Только имейте в виду, что со сковородой надо обращаться осторожненько, когда льете соевый соус — очень брызгается!

Коль скоро речь зашла о капустных салатах, приведу один рецепт, никак с Израилем и Любкой не связанный, просто он мне сейчас вспомнился. Пусть читатель в очередной раз простит мне хронологический сумбур.

Опять-таки тонко шинкуем капусту, трем одно кислое яблоко, впрочем, можно и сладкое. Затем берем пригоршню клюквы и руками жмакаем вместе с капустой. Клюква подавится, капуста станет розовой. Готовим заправку: растительное масло размешиваем с сахаром — на пол-чашки масла чайную ложку сахара и заливаем капусту.

«Холодный суп» от Любы Садовой
«Капустный салат» от Любы Садовой
«Салат «Катерина» от Екатерины Вильмонт

Однажды я угостила этим салатом одного немца, кулинара, занявшего второе место на всегерманском конкурсе поваров-любителей. И то, он утверждал, что занял второе место лишь потому, что хотел получить приз, полагавшийся как раз за второе место. Он высоко оценил этот простейший салат, сказал, что возьмет его на вооружение и назовет «Катерина».

Но вернемся к Израилю. Именно там я освоила и полюбила такую прежде неслыханно экзотическую штуку, как авокадо.

Прежде всего авокадо надо уметь выбирать. Если оно совсем твердое, лучше не брать. Если совсем мягкое — тоже. Возьмите авокадо в руку и чуть надавите пальцем. Если подается, значит можно покупать. Впервые я попробовала авокадо в Германии, у Лианы, я писала об этом. Но Лиана тогда просто разрезала плод пополам, вынула круглую косточку и заполнила выемку салатом с креветками и семгой. Это съедобно, но не очень вкусно. А в Израиле я полюбила авокадо по-настоящему, и готовить его очень несложно. Допустим, вы взяли один плод, разрезали вдоль, очистили, вынули косточку, нарезали мякоть, размяли вилкой, смешали с мелко нарезанным зеленым луком и выжали на все это пол-лимона. И посолили, конечно. Очень вкусно! Можно зеленый лук заменить репчатым, а лимон майонезом, однако с майонезом получается, на мой взгляд, жирновато. А еще в этот самый салат неплохо добавить крутые яйца.

Можно добавить авокадо в обычный овощной салат — огурцы, помидоры, зелень, лук и нарезанные кубиками авокадо. И хорошо заправить такой салат итальянской заправкой с базиликом. В прошлом году я вдруг ре-

Радость встречи
у стены плача.

шила в порядке эксперимента приготовить для гостей салат из авокадо с крабами. Получилось отменно. Очень мелко нарезанный репчатый лук и совсем немножко майонеза, можно добавить еще мелко нарезанный соленый огурчик.

И еще один салат по израильскому рецепту, подхваченный многими хозяйками, почерпнувшими его в моем романе «Полоса везения или Все мужики козлы».

Надо взять баночку консервированных ананасов, пучок черешкового сельдерея и майонез. Сельдерей очистить, нарезать, ананасы тоже порезать, а еще лучше купить ананасы не кружочками, а мелкими кубиками, работы меньше. Сок слить и выпить. Смешать все это и заправить майонезом. Можно добавить яблоко, можно грецкие орехи, кто что любит.

С этим сельдереем вышла занятная история. По моим двум романам «Все бабы дуры» и «Все мужики козлы» сняли чудовищный сериал, но речь не о том. Просто там из сельдерея вместо вкусного нежного салата, героиня готовит какое-то несъедобное блюдо, испытывая тем самым своих кавалеров. И к тому же, покупая сельдерей, она требует черешковый, а ей дают огромный корень сельдерея, выдавая его за черешки. Неужели никто в съемочной группе не знает разницы между корнем и черешком? Такое впечатление, что и сам сельдерей для них невесть какая экзотика! Но лучше я не буду писать об этом сериале, иначе в тексте будут одни отточия...

А еще в Израиле живет моя приятельница Алла, с которой в Москве мы были лишь шапочно знакомы, а теперь дружим. Анна готовит фантастически, особенно лазанью, но мне такие кулинарные подвиги не под силу. Однако главное, что надо сказать о ней — она вырастила сына, знаменитого израильского пианиста Бориса Гильтбурга.

Не хлебом единым...

Между тем для детей галактики наступали новые времена. Перестройка. И вот уж тут духовная пища поистине возобладала над всем остальным и насыщала, пожалуй, ничуть не хуже! Ну что в самом-то деле значит отсутствие, допустим сливочного масла в сравнении с тем, что в свет начали выходить книги, которые мы читали тайком, либо и вовсе не читали и даже не чаяли прочесть, как, например, роман Гроссмана «Жизнь и судьба», считавшийся безвозвратно утерянным в недрах КГБ! В каждом толстом журнале появлялось что-то, заслуживающее внимания и мы, боясь, что этот источник вот-вот прикроют, запоем читали, выписывая по пять толстых журналов — надо было успеть все проглотить... Стало трудно собираться в компании — непременно возникали политические споры, доходившие чуть не до драки. Раньше, в определенном кругу, люди были настроены более или менее одинаково — что-то я не помню больших поклонников советской власти. И хотя подобное «единомыслие в России» никто, конечно, не вводил, но жизнь в галактике свое дело сделала. А тут вдруг такие баталии стали разгораться — ой, ой, ой! Люди, от которых и не ждешь столь бурного темперамента,

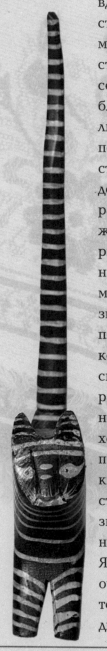

вдруг открывались с новой, далеко не всегда лучшей стороны. К счастью, мои ближайшие друзья были и моими единомышленниками. Но дефицит продуктов становился уже угрожающим. Люди начали делать серьезные запасы, что было нелегко. Возникли и новые блюда — кто-то научился делать дома сыр, кто-то солить мороженую рыбу, в обиходе появилась «карточка покупателя». Очереди, проклятие советских времен, становились все длиннее и как-то безнадежнее. В городе появились толкучки. Особенно мощная толкучка образовалась у Рижского рынка. По-своему это было даже интересно. Идешь сквозь плотную толпу и смотришь только направо, дойдя до конца, поворачиваешь назад и опять смотришь направо. Купить там, казалось, можно было все, что угодно. От краски для волос до зимних сапог и маргарина. Постепенно толкучки расползались по городу. Помню, мне нужно было купить ко дню рождения маргарин для теста. Я поехала к «Детскому миру». Не сразу, но купила пачку. Когда дома развернула ее, оказалось, маргарин слегка уже заплесневел. Ничего, срезала плесень ножичком и пустила в ход. Пирог получился отличный! Майонез тоже был проблемой. Иногда его давали только в обмен на баночки из-под майонеза же. Баночки таким образом тоже стали дефицитом. Однажды я заглянула в рыбный магазинчик в соседнем доме, там давали разливное подсолнечное масло. Чтобы его купить, надо было иметь тару. Я помчалась домой, взяла бутылку из-под вина, и стоя в очереди, ощутила острейший приступ зависти, вообще-то ни в малейшей степени мне не свойственной: впереди стояла женщина с двумя пластмассовыми бутылками. Чистенькие, невесомые, с откручивающейся пробкой, просто мечта хозяйки! Судя по одежде, дама часто бывала или даже живала за границей. И вся очередь с завистью косилась на нее.

В другой раз, стоя за яйцами, я встретила своего соседа по площадке, дипломата, много лет прожившего за границей и воспринимавшего происходящее с явной растерянностью.

— Катя, — шептал он мне, — я недавно был в Японии, купил в магазине халат для жены, а мне в подарок дали два махровых полотенца!

— Говорите тише, — посоветовала я, — могут и прибить!

Одна моя молодая приятельница в те годы работала после института на деревообрабатывающем комбинате. Там к какому-то празднику давали заказы. Девушка была расторопная и ей удалось получить лишний заказ. Она позвонила Ольгиной дочери Аське, та помчалась к комбинату и Машка перебросила ей пакет с заказом через забор! У нас образовался целый коллектив по добыче продуктов или информации о них. Аськин муж раз в неделю ездил в деревню Уборы, где они летом снимали дачу и привозил на всех яйца, молоко, творог, сметану. Мать Ольгиной соседки была директором продуктового магазинчика на задах Казанского вокзала. Иногда она звонила и требовала, чтобы кто-то срочно приехал и забрал что-то из продуктов. Однажды эта женщина

— Сыр оказался тяжеленным, и часть пути до дома она его просто катила! Умирая от хохота и страха, что отнимут...

позвонила, но никого с машиной не было, и Ольга пошла к ней пешком. Та широким жестом выдала ей... огромный круг сыра, несколько килограммов. Ольга пришла в ужас, но как человек в высшей степени самоотверженный, поняла, скольких людей она сможет облагодетельствовать, и купила-таки этот круг. Он оказался тяжеленным, и часть пути до дома она его просто катила! Умирая от хохота и страха, что отнимут... К счастью, у нас и тогда хватало чувства юмора. И мы все равно праздновали дни рождения, свадьбы и юбилеи. Умудрялись как-то доставать продукты, готовить какие-то новые блюда, что-то изобретать... Помню, я как-то купила много свежих огурцов — длинных, толстых, совершенно невкусных. Что с ними делать, я не очень понимала. Но придумала! Я нарезала их толстенькими овальчиками, обваляла в муке и обжарила, как кабачки. Мне понравилось. И потом я усовершенствовала это блюдо: я тушила обжаренные огурцы с мелко натертой морковкой и ложечкой сметаны. Вкусно! А водка? Водки тоже ведь не было! Или по талонам. Как-то мы с Ольгой пошли получать талоны на водку и сигареты куда-то на улицу Васнецова, а на обратном пути заглянули в продуктовый на улице Щепкина. Там было пусто до изумления. Стояли только банки с сиропом из красной смородины. Мы так хохотали... Вероятно, на нервной почве. Но стал появляться в продаже знаменитый спирт «Роял». Разумеется, я тоже его покупала. Но не просто разводила его, а еще добавляла туда апельсиновые корочки. Однажды мне позвонил друг из Германии, которого в глубоко советское время объявили «персоной нон грата». Мы не виделись много лет. А он позвонил сказать, что через два дня будет в Москве. Приготовить что-то я все же могла, а вот водки у меня не было. И я ничтоже сумняшеся развела пресловутый «Роял» и напихала в бутылку свежих апельсиновых корочек.

Берете апельсин, чистите его, срезаете острым ножичком белую прослойку с цедры, режете цедру тоненько — тоненько и запихиваете в бутылку. Закрываете и ставите в темное место, но ни в коем случае не в холодильник, и раза три в день встряхиваете бутылку, переворачивая ее. Через два-три дня процеживаете, и водка получается фантастически ароматной и очень красивой.

Мой друг, к тому времени крупный германский дипломат, объездивший полмира, выпил этот спирт и сказал: «Катя, это лучшая водка в мире!». А он и по сей день считает себя специалистом в спиртных напитках. Прошлым летом мне вдруг по ряду причин захотелось выпендриться и я за два дня до приема гостей приготовила такую водку. Ее выпили с восторгом, а одна молоденькая женщина, придя ко мне в другой раз, спросила: «А у вас нет той прикольной водки?».

Я уже писала, что в те достославные перестроечные годы у меня был жгучий роман с ракетчиком, которого я любила кормить. И как-то мне захотелось приготовить ему что-то на десерт, но ровным счетом ничего не было. И вдруг в шкафу я обнаружила пакетик заварного крема. Не долго думая, сварила этот крем, разлила по мисочкам и посыпала корицей.

Он был тронут до слез и сказал, что нечто подобное в детстве готовила его бабушка. И я стала время от времени покупать этот крем, тогда он часто бывал в магазинах. Я разнообразила его — то добавлю ложечку какао, то залью им нарезанные фрукты, если таковые были. Голь на выдумки хитра!

В те годы мы не говорили: я купила голландский сыр или швейцарский, или костромской, мы говорили просто и с гордостью — я купила сыр! Этот сыр частенько бывал совсем невкусным, пресным, резиновым, и приходилось что-то с ним делать, добавлять в салаты или готовить сыр с чесноком. Один такой салат меня научили делать, и он имел большой успех.

Три пучка зелени — укроп, петрушка и кинза, мелко нарезанные, три крутых яйца, сто пятьдесят граммов тертого сыра, майонез и зубчик чеснока! Отлично! Это можно подавать, как салат, можно мазать на хлеб, а можно нафаршировать помидоры или перцы. А еще сыр с чесноком можно использовать для горячей закуски. Взять круглый лаваш, разрезать на четыре части, каждый кусок надрезать и напихать туда сыр. И быстро обжарить на горячей сковородке с двух сторон.

Все то же самое относится и к брынзе, только майонез не нужен. Брынзу слегка вымочить, слить воду, и размять вилкой, добавить чеснок, немного сливочного масла, если брынза суховата, можно и грецкие орехи, изюм, курагу, словом все что есть под рукой.

Я уже писала, как рыскала по Москве в поисках мужских носков. В те годы приходилось рыскать буквально за всем. Во времена моего детства, мама, поку-

пая туалетную бумагу, прятала ее в сумку, ей было неловко ходить по улицам с этим необходимым, но довольно интимным товаром. А в годы перестройки, или нет, пожалуй, еще раньше, люди стали с гордостью носить через плечо целые вязанки туалетной бумаги. «Женщина, где бумагу брали?».

В 1989 году я жила в Переделкине и там один деятель Литфонда, питавший ко мне нежные чувства, сообщил под большим секретом: «Сегодня после обеда выйдите на аллейку за кухней, привезут «Диксан»!

«Диксан» — какое счастье! Стиральный порошок, не помню уж, голубой или зелененький, с чудесным запахом, продавался в большущих коробках с ручкой и являл собою образчик совсем иной, изобильной жизни. Я, конечно же, пошла на ту аллейку, думая, что никто ничего не привезет. И о чудо, вскоре туда и впрямь подъехал пикапчик с вожделенным дефицитом. Я купила две коробки — себе и Ольге! Как я ликовала!

То пребывание в Переделкине запомнилось не только «Диксаном», но в первую очередь реакцией пишущей братии на трансляцию первого съезда Депутатов Верховного совета. Эти передачи и впрямь ошеломляли, но меня тогда поразило, как глубоко в людей въелся страх... Одна весьма тонная дама, моя соседка по столу и коллега, спросила шепотом: «Как вы считаете, Катя, сейчас опять начнут сажать?».

— Господи, да почему?

— Но там ведь такое говорят!

Как-то утром я вышла на крыльцо и увидела жену малоизвестного поэта в черном платье и с черным платком на голове. Я была с ней едва знакома и не решилась спросить по какому случаю траур. Но кто-то все-таки спросил у ее дочери, что стряслось.

— Это траур по Горбачеву! — с пафосом ответила дочь.

— Горбачев умер? — ахнули все.

— Нет, он умер для мамы после истории с Сахаровым.

И хотя этот прискорбный инцидент на всех произвел тяжелое впечатление, но почти все присутствующие захихикали, уж больно театральной и безвкусной была реакция этой дамы.

Незадолго до перестройки был силовым приемом закрыт стихийно возникший много лет назад музей Пастернака, а когда подули ветры перестройки, появилась надежда, что Музей вновь откроют. Хорошо помню, как одна так называемая пис.дама вещала: «Нельзя этот музей открывать! Да и с какой стати? Тут в Переделкине каждый дом может стать музеем и все захотят...Тогда никто уж дачи тут не дождется! Да и кто такой Пастернак?».

В годы перестройки мы дарили уже друг другу продукты. Помню, как-то на Новый год я подарила Толе банку индийского растворимого кофе, его сыну Сашке банку китайской ветчины, а Ольге и другим гостям женского пола голландское средство для мытья посуды, которое мне попалось в каком-то магазине.

Мы с Галей в гостях у Живковичей в Араде.

Однако я давно не давала никаких рецептов. Кстати, помню мамин рассказ о том, что на Мюнхенском вокзале она видела палатку, где в первых числах мая продавали баклажаны и кабачки! Я ей не верила! А теперь эти овощи есть практически круглый год. Баклажанам я уже отдала дань, теперь не грех написать и о кабачках, тем более, что буквально вчера я услышала по телевизору, что кабачки невероятно полезны и их надо бы есть каждый день. По-моему, каждый день ничего не надо есть, но я кабачки люблю, и у меня они всегда идут в дело. Я, например, обязательно кладу кабачок в борщ.

Кабачки можно жарить, тушить, варить, все вкусно. Взять хотя бы оладушки из кабачков. Наверняка, многие это делают, но вдруг кто-то не знает?

Возьмите два кабачка, лучше молодых, граммов на восемьсот, натрите на крупной терке, вбейте одно яйцо и добавьте муку — две-три столовые ложки, хорошенько перемешайте, посолите и жарьте как обычные оладушки на растительном масле. Подавать можно со сметаной. Если вам хочется еще и красоты, добавьте к кабачкам тертую морковку, не помешает. Если ждете гостей, можно приготовить отличное холодное блюдо. Кабачки нарезать кружочками, нарезать много кинзы (если не любите кинзу, замените ее петрушкой или укропом), в майонез натрите зубчик чеснока и начинайте жарить кабачки, но не в навалку. Когда они зарумянятся с обеих сторон, снимайте со сковородки и кладите на тарелку, сразу, пока не остыли, смажьте их майонезом с чесноком и посыпьте зеленью. Затем второй слой и третий, сколько хватит кабачков. Дайте остыть и на стол. Очень вкусно! А можно на ряд кабачков положить ряд баклажан. А можно все то же самое проделать с баклажанами без кабачков. Просто и вкусно.

Кабачки, можно еще и фаршировать. Мясом и рисом, но я тут расскажу про кабачки без мяса, только с рисом.

Нарежьте кабачки толстыми, даже очень толстыми кольцами, то есть так, чтобы в них можно было что-то напихать, ножичком выньте серединку, но не выбрасывайте, если кабачки достаточно молодые, слегка обжарьте кольца на растительном масле. Сварите рис, смешайте с укропом и, если мякоть осталась, ее тоже обжарьте и добавьте к рису. Нафаршируйте этой смесью кабачки, выложите на сковородку, посыпьте

«Жареные кабачки» от Екатерины Вильмонт
«Фаршированные кабачки» от Екатерины Вильмонт

сыром и залейте сметаной. Теперь смело сажайте в духовку и ждите румяной корочки.

Есть и другой вариант этого же блюда. В рис добавьте немного размятой, не слишком соленой брынзы.

А можно залить кабачки на сковородке взбитыми с молоком яйцами. Сметана тогда не нужна. А сыр не помешает.

Замечательной добавкой могут служить кабачки и к мясному рагу, телячьему или бараньему, без разницы. Готовится это вкуснейшее, хоть и противоречащее модным ныне принципам раздельного питания блюдо, крайне просто.

Мясо режем небольшими кусками и обжариваем на сковородке вместе с луком на растительном масле. Затем переваливаем мясо в жаровню или сотейник, на сковородку наливаем немного кипятку и сливаем его в жаровню. Чистим картошку, режем на половинки, чистим морковь, кабачок, если дело происходит летом, хорошо добавить совсем молодую нежную репку, помидор, можно немного капусты и зелень — петрушку, укроп, сельдерей, закрываем крышкой и тушим на медленном огне. Минут через десять добавляем столовую ложку кетчупа, чайную ложку аджики, соль или соевый соус. И дальше тушим до готовности.

Внимание, вегетарианцы! Все тоже самое можно приготовить и без мяса.

Кстати о мясе! Все мы знаем элегантное слово «ростбиф», но далеко не все знают, как можно легко и просто его приготовить. Дам совет:

Купите большой кусок говяжьей вырезки, другие части не годятся. Срежьте пленочки, натрите солью и черным перцем, но не перестарайтесь. Выложите мясо на противень или в открытую жаровню. Возьмите несколько небольших луковиц, очистите, разрежьте пополам, еще очистите несколько морковок, разрежьте длинными толстыми кусками и все это уложите вокруг мяса, прикройте мясо зеленью: петрушкой, укропом и листьями сельдерея, резать зелень ни в коем случае не надо. И в запасе у вас должно быть еще много этой зелени. Налейте на про-

тивень немножко воды, положите сливочное масло и в духовку. Время от времени заглядывайте туда и как только зелень начнет пригорать, выкиньте ее и положите свежую. И так несколько раз, пока мясо не будет готово. Занимает все это в зависимости от величины куска минут сорок, может быть час. Ростбиф можно подавать горячим, только обязательно положите к мясу лук и морковь, они такие вкусные после всех процедур, а мясо впитывает в себя аромат зелени. Мммм! Кстати и холодный ростбиф с холодной морковью тоже замечательное блюдо! На гарнир к горячему ростбифу хорошо, кроме традиционного картофеля, подать зеленую фасоль, брокколи или тушеные кабачки.

Итак, что нужно, чтобы поразить воображение гостей, как правило не знающих что такое дичь и как ее едят, разве что помнят кадры из «Бриллиантовой руки» и возглас «Федя, дичь!».

Но у нас в доме чаще всего главным блюдом праздничного стола являлась дичь. Куропатки, рябчики, тетерева, глухарь, потом и перепелки. И сейчас, если я приглашаю гостей, обычно тоже подаю дичь. Но как ни странно, сейчас, в эпоху изобилия, выбор дичи куда скуднее, чем раньше. Почему, я не знаю, но факт остается фактом. Куропаток, рябчиков, тетеревов и глухарей я не вижу уже много-много лет. Правда, бывают иногда фазаны, тоже хорошо. Готовить дичь весьма несложно, причем любую, особенно если она ощипана. В молодости мне пришлось ощипать немало дикой птицы, занятие не из самых приятных. Но это уже из области воспоминаний. Сейчас в продаже есть перепела, лосятина и оленина, ну и фазаны, как я уже говорила. Все это продается замороженным, впрочем, и раньше дичь продавалась замороженной, хоть и в перьях. Итак, что нужно, чтобы поразить воображение гостей, как правило не знающих что такое дичь и как ее едят, разве что помнят кадры из «Бриллиантовой руки» и возглас «Федя, дичь!».

Если речь идет о перепелках или фазанах, то их надо разморозить, положить в большую кастрюлю, залить холодной водой так, чтобы она их покрывала и добавить уксус из расчета столовая ложка на полтора литра воды. Если же вы готовите лосятину или оленину кроме уксуса в воду надо добавить еще и растительное масло. Птицу оставьте в воде с уксусом на ночь, этого достаточно, а мясо лучше продержать так сутки. Затем птичек надо извлечь, вымыть, осторожно натереть солью, уложить на противень, налить немножко воды, добавить сливочное масло и поставить в духовку. Жарить, пока птички не зарумянятся с обеих сторон. Затем переложить в жаровню. То, что осталось на противне залить кипятком и слить в жаровню. Накрыть крышкой и тушить на небольшом огне, минут через пятнадцать добавить жирной сметаны и тушить еще примерно полчаса, пока мясо не станет совсем мягким. Все то же самое нужно проделать и с лосятиной, перед тушением нарезав на куски. И тушить мясо чуть дольше. Подавать это следует со слегка обжаренной вареной картошкой, брусничным или клюквенным вареньем и крепкими солеными огурчиками! Гарантирую незабываемое впечатление! И пусть вас не пугает варенье в таком сочетании, это самый смак!

Ну, ради любимого чего не сделаешь! Я самоотверженно приготовила вожделенное блюдо (дело было осенью и со свеклой проблем не возникло), а он не пришел, почему, не знаю. Что-то врал, я не верила, потом сочла за благо поверить. Рыбу скормила подругам и решила — больше никогда!

Одним из моих коронных блюд когда-то считалась фаршированная рыба, но дважды меня постигла неудача и я не уверена, что когда-нибудь еще возьмусь за это столь канительное, хоть и очень вкусное блюдо.

Неудача, постигшая меня в первый раз, заключалась в том, что свекла оказалась прогорклой. Дело было в апреле, я решила приготовить рыбу на свое пятидесятилетие и вдруг... Блюдо, повторю, канительное, и я приготовила его за два дня. Пробуя горячую рыбу, я ничего не почувствовала, но когда я проверила, хорошо ли все застыло (настоящая фаршированная рыба обязана лежать в большом количестве красного желе), я попробовала свое изделие. Оно оказалось горьким как полынь!

Второй «облом» был совсем иного свойства. Я приготовила рыбу для любимого человека, который с тяжелым вздохом сказал, что не ел фаршированной рыбы с тех пор, как умерла его мать. Ну, ради любимого чего не сделаешь! Я самоотверженно приготовила вожделенное блюдо (дело было осенью и со свеклой проблем не возникло), а он не пришел, почему, не знаю. Что-то врал, я не верила, потом сочла за благо поверить. Рыбу скормила подругам и решила — больше никогда! Спустя некоторое время мы с ним обедали в ресторане, и он заботливо спросил: «Тебе вкусно?». Я ответила: «Вкусно, но моя фаршированная рыба была вкуснее!». Он нахмурился и быстро сказал: «Об этом говорить не будем!». Ну не будем, так не будем! Прошло два года, и он проболтался, что и сам умеет готовить рыбу. Я промолчала, но задумалась: «Он что ли испугался, что я плохо приготовлю рыбу, и он во мне разочаруется?».

Сама я больше рыбу готовить не собираюсь, ну ее, но поделиться рецептом могу.

*Если вам кто-то скажет, что фаршировать можно любую рыбу, допустим судака или толстолобика, презрительно отвернитесь! Настоящую еврейскую рыбу делают либо из карпа, либо из щуки, все остальное — профанация. Поговорим о карпах. Карп может быть любой — простой или зеркальный. Сейчас приготовление облегчается тем, что рыбу можно самим не чистить. В магазинах и на рынках вам ее мгновенно почистят, но имейте в виду, вам нужны будут головы, хвосты и плавники. Попросите только вынуть из голов жабры и нарезать рыбу не слишком тонкими кусками. Дома хорошенько промойте головы, хвосты и плавники, сложите в большую кастрюлю, залейте водой и вскипятите, чтобы снять пену. Затем положите туда же несколько неочищенных луковиц, и несколько очищенных и нарезанных небольшими, но толстенькими дольками све*кол и морковок. Морковь можно нарезать кружочками тоже не слишком тонкими, положить еще два лавровых листика и довольно много перца горошками. Все это варить на небольшом огне очень долго, часа два-три. А тем временем займитесь собственно рыбой. Вооружившись острым и тонким ножом, отделите рыбье мясо от кожицы и пропустите через мясорубку вместе с вымоченной в молоке мякотью белой булки и луковицей. Вбейте туда яйцо, посолите, поперчите, вымешайте фарш и чайной ложечкой напихайте в образовавшиеся карманчики, разровняйте рукой и опустите в кастрюлю с овощами. Проварите несколько минут и шумовкой выложите в глубокое блюдо. Затем шумовкой же выловите свеклу и морковь, тоже уложите на блюдо и процедив бульон, залейте им рыбу, остудите и поставьте в холодильник. Если, паче чаяния, у вас остался фарш, ска-*

тайте из него шарики и тоже проварите в бульоне вместе с рыбой. Некоторые добавляют в бульон еще жженый сахар, но я не умею. Научиться, конечно, несложно. Однако я хорошо помню, как в детстве, прогуливая уроки вместе с Галей Филимоновой, мы у нее на кухне делали жженый сахар, очень модное тогда лакомство. И я как-то решила пальцем попробовать, застыл ли он. Боль была жуткая, когда раскаленная масса прилипла к пальцу! С тех пор я сахар не жгу, но и без него рыба получается вкусной. Впрочем, наверняка есть еще масса способов фаршировать рыбу, как и варить борщ. Я, например, варю постный борщ, и последняя стадия варки борща — кстати, чтобы сохранить цвет, борщ надо варить без крышки — у меня такова: я режу кинзу и зубчик-другой чеснока и, когда борщ уже готов, снимаю его с огня и бросаю туда кинзу с чесноком. Не кипятя, это придает аромат совершенно восхитительный. Кстати, овощи для борща — свеклу и морковь лучше натереть на крупной терке. Осенью еще неплохо добавить половинку антоновского яблока!

А еще в моей жизни было два лета в Молдавии! Лето, это громко сказано, но по три недели в 1987 и 1988 годах я там провела и была абсолютно счастлива. С Ольгой, ее мужем и сыном Сашкой мы ездили туда на машине и жили в пансионате на самом берегу Днестра неподалеку от Дубоссар. Условия там были самые что ни на есть убогие — две комнатки на втором этаже, а «удобства» во дворе. Больше всего эти самые «удобства» напоминали станционный сортир. Но мы были еще достаточно молоды, чтобы не обращать

внимания на такие пустяки. Мылись мы в реке, кормежки там не было. Многие готовили на общей кухне, но Толя нам сказал:

— Нет, девчонки, я не допущу, чтобы вы там парились.

И мы на машине ездили обедать в Дубоссары или в поселочек на полдороге, или варили что-то в электрическом чайнике, одним словом жили вольно и весело. Река, маленький уютный пляж, море фруктов, которые

Пикник в Самарик.

продавались за копейки целыми ведрами, сухой степной воздух, цикады, крики горлиц и письма, регулярно приходящие из Капустина Яра... И, конечно же, дивное сухое вино, за которым мы ездили в соседнюю деревушку Маловату. Какая же прелесть эти молдавские деревни, эти крашеные синькой дома, эти «каса маре» — парадные горницы, куда в будни никто не заходит, а в праздник можно зайти, только сняв обувь, увитые виноградом дворы и невероятно гостеприимные и радушные люди... Нас почти никогда не отпускали, не накрыв стол и не напоив до одурения. Все было так искренне, так радушно, что отказаться было немыслимо. И так все вкусно... Плэчинты с сыром (тесто как на струдель) с лу-

ком и яйцами, с картошкой, они делались в виде плоского круглого пирога, который не пекли, а жарили на сковороде. А сваренная в мундире мелкая молодая картошка, к которой подавалось блюдечко с подсолнечным маслом и крупной солью! А фаршированные перцы! И вино, вино! Вино заставляло довольно часто отлучаться от стола, хозяйка велела нам бегать по малой нужде в огород. И вот как-то мы с Ольгой присели, и вдруг она таким мечтательно-пьяным голосом сказала:

— Кать, посмотри, какие звезды!

Я подняла голову, и тоже залюбовалась звездным небом. И тут же мы обе поняли комизм этой сцены и чуть не померли со смеху!

Я в темноте всегда неважно видела и от машины меня обычно очень бережно вел двенадцатилетний Сашка. Я шутила: «Вот будешь осенью писать сочинение «Как я провел лето» и напишешь: «Я по вечерам водил пьяную тетю Катю!». Сказать по правде, эти сочинения за него нередко писала я. Но только на вольную тему. Потому что написать сочинение об образах лишних людей и всей той чепухе, которой учат на уроках литературы, даже теперь, написав жуткое количество детских и взрослых книг я просто не в состоянии.

Еще одна забавная история, связанная с отдыхом в Молдавии. Купить что-то в те годы было очень сложно, а мне понадобился сарафан. Без сарафана прошлым летом

Но почти все мои блюда противоречат модным ныне диетам и методам питания, так что насчет полезности этих блюд сказать ничего не могу, но то, что вкусно — ручаюсь!

мне было неудобно. Но где взять? Сшить некому. Тогда я призвала Галю и сказала:

— Галка, я куплю ситец, сшей мне сарафан!

Галка побледнела.

— Но я не умею шить!

— Ничего уметь не надо, я все придумала, я куплю ситец, одну полоску положишь вот так, из второй сделаешь оборку, наверху продернешь резинку и две бретельки пришьешь так, чтобы их можно было завязать на шее. Ты же умеешь шить на машинке, а больше ничего и не надо.

— Ладно, попробую, — решилась она.

Ее мать, обнаружив, что дочь что-то шьет, спросила с удивлением:

— Что это ты делаешь?

— Шью. Сарафан для Кати.

— Ты с ума сошла, да?

— Но если человеку надо?

И я с упоением носила этот сарафан. Предполагалось, что я буду ходить в нем на пляж и только, а я, что называется, забросила чепец за мельницу и ходила в сарафане, сшитом Галкой, даже в ресторан. А между прочим в то роскошное заведение абы в чем не пускали. Толю в шортах один раз не пустили, а в другой раз Сашка как-то отвлек внимание швейцара, а Толя за нашими с Ольгой спинами проскочил в зал. И все это днем, как в свое время в Кунгуре. Эти провинциальные кабаки очень блюли свой статус! Смех и грех. Кстати, и в том и в другом случае в это дневное время в ресторанах народу почти не было, а вот поди ж ты... Видимо, глубоко был усвоен лозунг «У советских собственная гордость!».

В 1995 году мне предложили перевести поваренную книгу. Я согласилась — за перевод прилично платили. Книга эта считалась новым словом в кулинарии. Но о многих продуктах я тогда ничего не знала. Там были названия салатов, о которых мы и понятия не имели, а теперь они продаются повсюду. Руккола, романо, айсберг и т.д. Правда, специи, упоминавшиеся там, уже появились. Однако ничего из рецептов я не взяла на вооружение, почему и сама не знаю. Запомнила лишь совет знаменитого французского кулинара — когда делаешь омлет, хорошо помешивать его на сковороде вилкой с наколотым зубчиком чеснока. Запаха почти нет, а что-то пикантное появляется. И уж коль скоро речь зашла об омлете, то приведу тут два рецепта моей бабушки.

Она брала французскую булку (но в то время булка называлась городской, во избежание низкопоклонства перед Западом) разрезала ее пополам, срезала попки, вынимала мякиш, ставила эти стаканчики на противень и выливала в них яйцо, взбитое с молоком и ложечкой муки, сверху посыпала сыром и ставила в духовку. Очень аппетитный и вкусный завтрак.

А иногда просто выливала в эти стаканчики яйцо, как на глазунью и тоже ставила в духовку. Булка делалась хрустящей, и когда все это вынималось из духовки, сверху бабушка бросала еще кусочек сливочного масла. Я иногда добавляла мелко нарезанный зеленый лук или зелень.

Но почти все мои блюда противоречат модным ныне диетам и методам питания, так что насчет полезности этих блюд сказать ничего не могу, но то, что вкусно — ручаюсь!

Конечно, я тоже не чужда новых веяний и, например, с удовольствием ем рукколу, тем более, что ее приготовление не отнимает времени. Вот, например, положите рукколу в миску, нарежьте туда помидоры черри — разрежьте пополам, выжмите кусок лимона и добавьте немножко оливкового масла. Вот уж никаким диетам не противоречит и вкусно! Можно к рукколе добавить вареные креветки, а вместо лимона капнуть бальзамический уксус.

Кулинарная книга стала моим последним переводом. Дальше я начала писать свои книги.

Но это уже совсем другая история!

Возьмем руколу, положим
в салатник, возьмем два средних
помидора, нарежем дольками
На небольшую сковороду нальем
оливковое масло и поджарим
на ней помидоры. Когда они
станут совсем мягкими, выльем
масло с помидорами на руколу
добавим 1-2 чайных ложки баль-
замического уксуса и всё перемешаем. Соль не обязательно.
Есть салат теплым. Очень
вкусно! Вполне можно добавить
креветки.

Даже самую банальную селёдку
можно без особых хлопот превра-
тить в изысканную закуску.
Для этого достаточно взять любую
малосольную селёдку, уложить
на просторную тарелку. Нарезать
тонкими кольцами сладкий лук.
натереть на крупной тёрке